P. A. CARON DE BEAUMARCHAIS.

P. A. CARON DE BEAUMARCHAIS.

From a portrait by Cochin, engraved by Augustin de Saint-Aubin, 1773. Bibliothèque Nationale.

Oxford French Series
By *AMERICAN SCHOLARS*
GENERAL EDITOR: RAYMOND WEEKS, PH.D
PROFESSOR OF ROMANCE PHILOLOGY, COLUMBIA UNIVERSITY

LE MARIAGE DE FIGARO

COMÉDIE EN CINQ ACTES, EN PROSE

PAR

M. DE BEAUMARCHAIS

EDITED WITH AN INTRODUCTION AND NOTES

BY

ERNEST F. LANGLEY, PH.D.
PROFESSOR OF FRENCH, MASSACHUSETTS INSTITUTE OF TECHNOLOGY

NEW YORK
OXFORD UNIVERSITY PRESS
AMERICAN BRANCH: 35 WEST 32ND STREET
LONDON, TORONTO, MELBOURNE & BOMBAY
HUMPHREY MILFORD
1917

PREFACE

"Beaumarchais is one of the most extraordinary expressions of his age" (Lanson); "the *Mariage de Figaro* is the French Revolution in action" (Napoleon); "Figaro is the stage hero of the Revolution" (Henri Lion):— after such estimates of the author and his work no excuse is needed for offering this first American edition of a play which has been rather neglected in this country, owing perhaps to the nature of its subject and the freedom of its treatment. The editor will not take up valuable space in attempting to defend the morality of the mad comedy; Beaumarchais has already undertaken that task in his long preface to the play. If the *Folle Journée*, like some of Molière's best comedies, does not pretend to be a school for the perfecting of character, it is, on the other hand, quite incapable of corrupting it, especially with readers accustomed to the freedom of our contemporary press. As this edition is intended for students who have reached a certain degree of maturity, the text is given without excisions of any kind. A few lines that good taste would wish to eliminate could hardly be excluded without interrupting the continuity of the dialogue, and may easily be passed over in the class-room.

The text is that of the authorized edition of 1785

with modernized orthography.   Beaumarchais' long preface, covering about forty pages, has been regretfully omitted for economy of space.

The editor wishes to express his thanks to Professor Raymond Weeks, General Editor of this series, for a number of helpful suggestions.

CAMBRIDGE, December 13, 1916.

CONTENTS

INTRODUCTION

LIFE OF BEAUMARCHAIS

FIGARO, the living type of French wit and resourcefulness at strife with social injustice, who has given his name to a Paris street and to a famous newspaper, derives much of his originality directly from the experience and character of his creator, Pierre Augustin Caron de Beaumarchais, who, starting as the son of a watchmaker, rose rapidly to favor at court, financial eminence, international influence and literary fame; who for a time was courted by the nobility, became in turn the idol and the victim of the Paris mob, was impoverished, outlawed and menaced with execution, but even in his declining years retained energy and talent enough to save his fortune from complete shipwreck. Beaumarchais lives on in his reincarnation Figaro.

Caron's father, a watchmaker by trade, came from a family of Calvinists, but had himself adopted the Roman Catholic faith. He had ten children, was very religious, yet was fond of gay wit, and even composed gallant verse. Between father and son there existed a deep affection, which, though strained for a time, after reconciliation showed itself in Pierre's solicitude for his father's happiness, and the latter's interest and pride in his son's achievements. Of four sons Pierre was the only one who survived, and naturally his father destined him for the watchmaker's trade, then at the height of artistic perfection. Accordingly he was sent, not to a college to learn the humanities, but to a kind of technical school at Alfort, where he remained till the age of thirteen, returning home to start work at his father's bench among escapements, springs, and wheels. But the gay wine-shops of the market district were close by, and the call of the world, the flesh, and the devil was too strong for the vivacious lad. Precocious like Chérubin, musical and witty like Figaro, he was drawn more and more into the doubtful gaieties around him, until, at the age of seventeen, his father locked the door on him in anger, and consented to his return only on condition that he should sign a contract promising diligence in work and exemplary behavior. The youth signed all the clauses of the document "dans la ferme volonté de les exécuter avec le secours du seigneur," and he kept his promise admirably. He had little reason to complain, for the life at home, in the company of his parents and sisters, was very pleasant and merry, enlivened especially by the companionship of his talented, fun-loving sister, Marie-Julie, whose character has inspired to a great degree the Suzanne of the *Mariage*. After the chastening of parental discipline, Pierre applied himself to his trade with such zeal and intelligence that at the age of twenty he invented a new escapement. A dispute over the priority of the invention gave him his first taste of litigation, as the matter was referred to the Académie des Sciences, who decided in his favor. A tiny ring watch, one third of an inch in diameter, that he made for Madame de Pompadour, was so much admired that Louis XV and a number of nobles gave orders for similar timepieces, and in this way the young artisan was introduced to Versailles. This was but the first step in his advancement, which now became rapid. A handsome lady at court, Madame Franquet, ten years his senior, took a watch to his shop to have it repaired, and the young man gallantly asked permission to return it to her in person. An acquaintance was the first result. The lady's aged husband, "contrôleur clerc d'office," or Master of the Royal Pantry, worn out by his arduous duties, which consisted mainly in marching to the royal table in front of His Majesty's meat, readily sold his office to Caron, died the following year, and was promptly replaced in his marital relations by his young successor in office. From this first wife Pierre Caron acquired the title of De Beaumarchais, derived from a little fief in her holding that has hitherto defied identification. Unfortunately for Beaumarchais his wife soon died, leaving no addition to his fortune except his contrôleur's sword and title. But he was not a man with only one string to his bow. As his skill in watchmaking had first opened up for him the way to court life, his skill on the harp now brought him into

intimacy with the royal family, and gave him an influence that he did not fail to turn to advantage. The
pedal harp was at this time a comparative novelty,
and the king's daughters, who were enthusiastic musi-
cians, wished to learn the instrument. Beaumarchais
became their teacher and the organizer of their con-
certs, thus acquiring a position where in the intimacy
of lessons and social intercourse he could have a deft
finger on many a little ambitious scheme and intrigue.
It was in this way that he was brought into relations
with one of the most celebrated financiers of the time,
Paris-Duverney, who had made the fortune of Voltaire, and at this time was trying to win the royal favor
for a military school in which he had heavily invested.
Beaumarchais first interested the ladies of the royal
family in the project, and, through them, the king.
Duverney showed his appreciation by associating the
young harpist with various financial enterprises, not
only enabling him to acquire a fortune, but also train-
ing him for the many daring speculations which he
was to conceive and put into execution later on. These
successes of the young bourgeois were not attained
without arousing the envy and hatred of many of the
courtiers, several of whom tried to their sorrow to
humiliate him. In a duel one chevalier paid for his
provocations with his life.

After gaining wealth the next desirable thing in
Beaumarchais' estimation was to rise still higher above
his former station. This was easily done by exchanging

56,000 livres for the title of "secrétaire du roi." He
also purchased the office of "lieutenant général des
chasses aux baillage et capitainerie de la varenne du
Louvre," and in this capacity sat in judgment on those
who poached on the king's hunting grounds around
Paris, and doubtless unconsciously made mental notes
that later took on real form in the trial scene of the
Mariage.

Like the child of his fancy, Figaro, Beaumarchais
was not happy unless he was carrying on at the same
time love affairs, intrigues, and schemes of all kinds,
"deux, trois, quatre à la fois, bien embrouillées, qui
se croisent." His next noteworthy adventure is a
striking example of this trait. One of his sisters who
had settled in Madrid as a milliner had become be-
trothed to a Spanish litterateur, Clavijo by name.
The bans had already been published, when Clavijo
suddenly disappeared. Beaumarchais hastened (1764)
to the Spanish capital, forced from the disloyal suitor
an admission of his guilt, and made him promise
to marry the ill-treated lady. But again Clavijo disappeared, accused Beaumarchais of duress, and obtained against him an order of expulsion. With his
customary energy Beaumarchais met this unexpected
danger by securing an audience with the king, to whom
he explained the whole case, with the result that
Clavijo was disgraced and deprived of his office. So
Beaumarchais tells the story ten years later on in his
Mémoires contre Goëzman, and it was accepted by

Goethe when he used it in his drama *Clavigo und Stella* (1774).[1]

But this romantic errand was not the chief motive for his "voyage en Espagne." He was really the secret agent of Duverney, seeking in the unprogressive peninsula a field for his vast financial and political ambitions.

Having disposed of the Clavijo affair Beaumarchais was able to turn his attention in Madrid to his financial schemes and his pleasures. He tried to obtain the contract for supplying the Spanish colonies with negro slaves, worked on a plan to stimulate manufactures in Spain, negotiated the concession of Louisiana trade to a French syndicate, attempted to organize a company to furnish supplies to the whole Spanish army, and, last but not least, in an effort to increase the friendship between Spain and France, he succeeded in having the French Marquise de la Croix accepted as the Spanish king's favorite.

Such activities would seem enough to occupy more than fully the energies of most men, but in the midst of them all Beaumarchais found time for indulging in all kinds of pleasures and gaieties, playing for high stakes with the ambassadors, making love to their wives, and riming French verses to the airs of Spanish seguidillas. His interest in the music, dances, and drama of

---

[1] For a list of dramas inspired by the Clavijo episode, see Gudin, *Histoire de Beaumarchais*, p. 123, note; also Cordier, *Bibliographie de Beaumarchais*.

Spain is especially worth noting, as it bore fruit later on in his comedies.

At the end of March, 1765, he returned to Paris. Though none of his financial schemes had met with success, he was neither wearied nor discouraged. While entertaining many new plans he occupied his leisure moments in writing plays. His first dramatic efforts had been nothing more ambitious than some licentious "parades" for the fêtes at Étioles,[1] in which he took an active part as musician and actor, but he now follows the new current of enthusiasm for the emotional, tearful "drame." Under the direct influence of the English novelist Richardson, and carrying out the dramatic theories of Diderot, he composed a highly wrought domestic drama, *Eugénie*, which proved a flat failure the first night, but was at once so altered by the author that it obtained for some time a brilliant success.[2] Thus encouraged he wrote another "drame," *Les Deux Amis*, dealing with a financial and commercial subject. It had but mediocre success and happily his next dramatic ventures follow the real bent of his bright, comic genius and give us two of the masterpieces of the French stage, the *Barbier de Séville* and the *Mariage de Figaro*, of which we shall speak farther on. In 1768 our dramatist again married, this time also a

[1] Home of the fermier général Le Normand, husband of Madame de Pompadour. On the "Parades" in the private aristocratic theatres of the time, see Lintilhac, *Histoire générale du théâtre*, IV, 376 ff.

[2] For translations, number of performances, etc., see Bibliography, p. xliii.

handsome young widow, Mme Lévêque. Her sudden
death three years later gave the numerous calumniators,
always ready to attack Beaumarchais, an opportunity
to repeat the foolish charge, made on the death of his
first wife, that he had had recourse to poison.

In 1770 Paris-Duverney died, bequeathing his fortune to his nephew, the Comte de la Blache. The
statement of his accounts over his own signature declared Beaumarchais free from all indebtedness to
him, and stated that he himself owed Beaumarchais
15000 livres, payable on demand. La Blache, who
hated his uncle's young friend intensely, protested the
genuineness of the document, and the matter was
brought to court for settlement. The verdict of the
tribunal of first instance [1] was given in 1772 in favor
of Beaumarchais. La Blache then appealed to the
Grand' Chambre du Parlement. Beaumarchais, meanwhile, confident of the result of this litigation, was
occupying himself with the rehearsals of the *Barbier*
when he found himself involved in another unpleasant
affair. A quarrel with the Duc de Chaulnes over a
beautiful young actress ended by the infuriated nobleman going to Beaumarchais' house, drawing his sword,
and provoking a most undignified free fight in which
the servants played a vigorous part. Both the prin-
cipals were put under arrest, and Beaumarchais was
sent to the prison of For-l'Évêque. The disadvanta-

---

[1] This court, called at the time les Requêtes de l'Hôtel, was independent of the Parlement Maupeou and impartial.

geous situation in which our author was now placed was
used most effectively by his other enemy, La Blache,
who set in motion all the machinery of scandal and
calumny,[1] so potent in the eighteenth century.   To
offset these influences Beaumarchais felt obliged to
entreat the pardon of the authorities in order to obtain
permission to leave prison and visit his judges.   It
was too late. Calumny had done its work. On the
6th of April, 1773, following the report of counsellor
Goëzman, the "Parlement" or Supreme Court pronounced its verdict, quashing the earlier one given
by the lower court, and declaring the statement of
accounts null and void. Beaumarchais, now placed
in the position of a forger, was ruined. He was obliged
to pay La Blache 56,000 livres, with the interest for
five years, and the costs. La Blache hastened to seize
his property and make his defeat as humiliating as
possible.

Within a year Beaumarchais had changed his disgrace into a triumph.

While imprisoned at For-l'Évêque he had obtained
permission, as we have seen, to go out and visit his
judges, of whom the most important was the "rappor-
teur" Goëzman. Learning that an audience could be
obtained by means of a hundred louis offered to
Madame Goëzman, he sent the money.   Another

---

[1] For Beaumarchais' dramatic treatment of calumny, inspired by
his own experience, see the *Barbier*, Act II, Scene VIII. See also
Loménie, I, 244.

hundred were indirectly demanded, and as he did not have them he sent a valuable watch. Then fifteen more louis were requested for the magistrate's secretary, and sent. When the case with La Blache went against Beaumarchais, the presents were sent back, with the exception of the fifteen louis. Beaumarchais asked to have them returned. The secretary declared that he had never received them; Madame Goëzman affirmed that they had not been given to her, and her husband indignantly denounced Beaumarchais to the parliament for calumniating his wife and attempting to bribe a magistrate.

Realizing the growing power of public opinion, Beaumarchais decided to use it as his main weapon against his enemies in the magistrature. To understand the alignment of forces it must be remembered that the public mind for some time past had been greatly excited over the whole matter of the parliament and its function in the state as a counterpoise to royal tyranny. In 1770 the Chancellor Maupeou had succeeded in not only depriving the parliament of some of its most important traditional rights, but also in replacing all its independence-loving members by a set of men entirely subservient to the crown. The new parliament was referred to in contempory pamphlets as a "caverne de voleurs," and the seething discontent of the capital almost broke out into an insurrection.[1] It was on the

---

[1] Cf. Rambaud, *Histoire de la civilisation française*, II, 129, 130; Lanson, *Histoire de la litt. fr.*, p. 796.

wave of this agitation that Beaumarchais was carried
from disgrace and ruin to success and popularity. To
the general public he made his appeal in his famous
Mémoires contre Goëzman, which, while feigning the
most profound respect for his judges, represented his
trial in the Goëzman affair as a scandalous, farcical
comedy. Nowhere has the brilliant, mordant wit of
the writer shown to better advantage than in the best
pages of these remarkable pamphlets. Thanks to them
the public was won over to his side. On reading the
first three Voltaire wrote, "J'ai lu tous les Mémoires
de Beaumarchais et je ne me suis jamais tant amusé.
J'ai peur que ce brillant écervelé n'ait au fond raison
contre tout le monde. Que de friponneries, ô ciel!
Que d'horreurs! Que d'avilissement dans la nation!
Quel désagrément pour le parlement!" When the
fourth and greatest of the *Mémoires* appeared, the enthusiasm of the public knew no bounds. Six thousand
copies were sold in three days, they were read aloud
in the cafés and discussed at the Bal de l'Opéra.[1] Of
the various enemies that wrote pamphlets against
Beaumarchais in connection with this affair one especially stands out as the mangled victim of the latter's
irony. This is the Méridional, Marin, whose southern
expression *"Ques-aquo?"* (that is, *qu'est-ce que c'est?*)
was emphasized by Beaumarchais so drolly that it

---

[1] It was in this last pamphlet that Beaumarchais gave his celebrated
account of the Clavijo episode in Spain. See p. xi.

became a byword, and even gave the name to a kind of lady's cap, mentioned in the *Mariage*.[1]

Notwithstanding Beaumarchais' popular triumph he was sentenced to the loss of civic rights, and his *Mémoires* were condemned to be publically burned. To obtain his rehabilitation he appealed to Louis XV, but the only satisfaction he received was the king's promise to aid him by suspending the law referring to the time within which the case might be retried, if Beaumarchais would give his services in a secret mission to England, where a professional blackmailer, Théveneau de Morande, was threatening to publish a disgraceful document entitled *Mémoires secrets d'une femme publique*, revealing scandals in the life of the king's mistress, Madame du Barry. Beaumarchais was to prevent this publication, and effect the destruction of the pamphlet. This he succeeded in accomplishing, thanks to a liberal bribe, but on his return to France in 1774 the king was approaching his end, and Beaumarchais was too late to get the promised reward of rehabilitation. All his efforts were wasted. The new king had no special reasons for showing gratitude to the man who had saved the reputation of Du Barry. But before long another libel affair gave our author an opportunity to be of service to Louis XVI. It was learned that a pamphlet aimed at the young queen, Marie Antoinette, was about to appear

---

[1] Worn by Suzanne; see Caractères et Habillements, p. 4, ll. 2 and 3. See also the use made of the term in the play, p. 199.

in London. Beaumarchais, entrusted with the mission of going to England and negotiating the destruction of the libel, set out, furnished with an order in the king's handwriting enclosed in a gold locket worn around his neck. His negotiations with the Jew, Angelucci, to whom the publication of both an English and a Dutch edition had been entrusted, seemed crowned with success. The two of them pass over to Holland to see to the destruction of the Continental edition, when suddenly Angelucci disappears and makes his escape to Nuremberg, carrying with him a copy of the pamphlet that had been saved from the fate of the others. Beaumarchais rushes off in pursuit, and an exciting series of melodramatic events takes place. He overtakes the Jew finally at the edge of a forest near Nuremberg, wrests from him the copy of the libel, but spares the villain's life. At this moment, however, the Frenchman is attacked by two brigands, and in the ensuing struggle receives a stab, which, fortunately, is diverted by the locket worn about his neck, leaving only a wound in his chin. Passing from Nuremberg to Vienna, he writes to his friends at Paris thrilling accounts of his adventures. At Vienna, where he proposes to Maria Theresa the publication of an expurgated edition of the pamphlet, his story is received with complete incredulity, and he is put into prison, but obtains his release at the end of a month when the Viennese court learns that he is executing a commission for Versailles. According to

the Austrian version of this tragic affair, supported by
good evidence, the bandit episode was a pure invention, the wound in his chin self-inflicted by his razor
in order to give an appearance of plausibility to his
story, and, worst of all, the real author of the libel
may have been Beaumarchais himself.

On his return to Paris, Beaumarchais succeeded in
having the Comédie Française undertake the rehearsals
of the *Barbier de Séville*, which, first composed as a
"parade," had been transformed into a light opera, and
then into a prose comedy. Accepted by the Comédie
in this last form, the rehearsals had been suspended
during the author's imprisonment in For-l'Évêque,
1773. The following year the performance of the play
was finally announced when, suddenly, an order from
the Police had it cancelled, owing, as rumor declared,
to the attacks upon magistrates contained in the piece.
Finally it was produced on the 23d of February, 1775.
As with *Eugénie*, the first performance was a failure,
but the author, with his usual energy, so modified and
abbreviated the play that at the second night its
success was tremendous.[1]

After his experience in Vienna Beaumarchais did
not feel that the time had come for his rehabilitation,
so he continued to act as the king's agent in suppress-
ing libellous pamphlets. The next affair is as great a
mystification as the one last described. A certain
Chevalier d'Éon, formerly involved in scandalous re-

[1] Cf. under Bibliography, p. xliv.

lations with the ambassador De Guerchy, held in his possession some papers compromising the French government, as they contained a plan for a descent upon England. Again Beaumarchais is sent to England to offer terms for the surrender of these documents. D'Éon, however, was a most slippery person to deal with, the strongest doubts were entertained about his sex, and a lively skirmish ensued between Beaumarchais-Figaro and this formidable adversary. It was a case of "corsaire contre corsaire." Which one succeeded in duping the other remains an undecided question, but the probabilities are in favor of Figaro. In any case D'Éon was bribed to surrender the papers, hold his tongue, return to France, and wear women's clothing for the remainder of his life. At his death it was definitely established that he was not a woman.

Though Beaumarchais did not profit in a material way by this episode, it won for him the confidence and the favor of Louis XVI, who now permitted him to appeal for a reversal of the judgment passed upon him in 1774 by the Maupeou parliament.[1] In 1776 the parliament rendered the final verdict in favor of Beaumarchais, restoring him to his civil status and former offices.

Meanwhile he had launched upon projects of vast extent and international importance. While in London, attending to the D'Éon affair, he had watched very carefully the growing conflict between England

[1] The Maupeou parliament had meanwhile been abolished.

and her American colonies, and had proposed to the French government a way to furnish arms and supplies to the insurgents. His plans were listened to with respect, and encouraged, but all relations with America, he was told, were to be in the nature of a secret and indirect alliance. He accordingly prepared to furnish the Americans with the much needed equipment, and in repayment was to receive return cargoes of merchandise. The French and Spanish governments each contributed a million francs as a subsidy to the enterprise, and a company was formed under the assumed name of Rodrigue Hortalez et Cie., with its offices at Paris. Its dealings were with Silas Dean, agent of the insurgents. Another American, Arthur Lee, with whom Beaumarchais had first negotiated, feeling jealous at having been supplanted, denounced Beaumarchais to Congress, charging him with conspiring to cheat the colonists by representing as a commercial transaction aid gratuitously offered by France. From this calumny came all the subsequent difficulties that Beaumarchais had in recovering even partial payment from the United States. In 1777 three vessels of the Hortalez company landed muskets, cannon, and artillery officers at Portsmouth, but the promised return cargoes of tobacco and cotton failing to appear, the whole enterprise was threatened with disaster, and was saved only by another subsidy from the French government. Undaunted by these obstacles and disappointments, Beaumarchais fitted out more ships, among them a large vessel armed as a man-of-war, the *Fier Rodrigue*, which, in a naval battle off the Spanish coast in 1778, was riddled with shot, but had the satisfaction of helping to repel the English fleet. Though Beaumarchais' operations in the American war were on a vast scale, they were of doubtful profit. In 1779 Congress recognized a debt of 2,544,000 livres to Beaumarchais, about one half the right amount, and payment was made in the form of drafts on Franklin, who was then in France. These drafts, of dubious value, were the only payment that Beaumarchais ever received. On four occasions Congress sent him a statement, the last one in 1793, crediting him with 2,290,000 francs; but payment was delayed on the pretext that he should deduct the amounts contributed by the French government. Final settlement was not made until 1835, long after Beaumarchais' death, when his family received the comparatively paltry sum of 800,000 francs.

Beaumarchais succeeded in having the decision in the La Blache case subjected to a new trial at Aix in Provence, and this time, thanks partly to his *Mémoires* directed against his adversary, he won a complete victory (July 1778). After the thirty-second performance of the *Barbier* he had asked the actors to send him a statement of the receipts due him. The regular agreement was that the author of a play should receive one ninth of the receipts, but by all kinds of subterfuges his share was shamelessly reduced. Subscription and box tickets were not counted, daily expenses and the poor fund were deducted from his profits, and a play that brought in at any one performance less than 1200 francs in winter, or 800 in summer, was confiscated by the actors. To this kind of tyranny Beaumarchais was not the man to submit. With great efforts he succeeded in forming for the first time a society of dramatic authors, who brought suit against the actors and succeeded in 1791 in having the abusive privileges of the latter abolished.[1]

In 1779 he undertook the publication of a complete edition of the works of Voltaire. He bought up the unpublished manuscripts, and secured Baskerville type from England and special paper from Holland. As the publication of Voltaire's works in France was forbidden, he rented for his printing presses the old fortress of Kehl from the Margrave of Baden. Many difficulties arose, especially the protests of the clergy, but the edition, begun in 1783, was finished in 1790. It was a disastrous speculation, however, as 15,000 sets were printed and only 2000 subscribers were secured. At this time he was interested in various other projects: a discount bank, a plan for a government loan, and a new water supply for Paris. "Tout le monde le consultait, les hommes d'État sur les finances et les auteurs sur leurs comédies. Tout le monde s'adressait

---

[1] "La Société des auteurs dramatiques, constituée de nos jours, ne devrait jamais s'assembler sans saluer le buste de Beaumarchais" (Sainte-Beuve, *Lundis*, vi, 183.)

à lui, les gens de lettres à la recherche d'une place, les actrices en quête d'un engagement, les banquiers menacés de la banqueroute, les inventeurs impatients d'exploiter leurs découvertes et les jeunes filles trompées par leur séducteur." [1] Yet, in the whirl of all this activity, he had found time to write one of his masterpieces, *Le Mariage de Figaro*, begun about 1775, finished in 1778, accepted by the Comédie-Française in 1781, but not acted till 1784. The first censor gave his approval, but at Versailles the king declared that the piece could never be presented.[2] The author then had recourse to all manner of clever devices to advertise his play and have it offered to the public. He read it to his friends and in the salons of the nobility before bishops, archbishops, and the Grand Duke of Russia. At last permission was given to have the play acted in the theatre of the Hôtel des Menus Plaisirs.[3] The tickets had been distributed to the most aristocratic people at court, the carriages were arriving at the theatre, when, to the intense indignation of every one, a lettre de cachet from the king unexpectedly prevented the performance. Three months later the Comte de Vaudreuil, wishing to entertain his guests at Gennevilliers by a performance of the much discussed play, requested the author's consent to having it privately acted. Beaumarchais imposed definite

[1] Hallays, *Beaumarchais*, pp. 60, 61.   [2] See below, p. xxxviii.

[3] On the Menus-Plaisirs, cf. D'Heylli et DeMarescot, III, p. xix, note 1.

conditions: the comedy was to be approved by a new censorship, and the Théâtre-Français authorized to add the piece to its repertory. The king assented, and the obstacles in the way of the author's purpose were lessened. From Gennevilliers to the boards of the Théâtre-Français the way was gradually opening, as the public could not long be refused the right to witness a play that had been allowed on a noble's private stage. But before yielding to the demand of the public the author insisted upon having the verdict of more censors, the majority of whom approved his piece, and at last the king granted his consent. The first performance, April 27, 1784, was an event comparable with the exciting times of 1830, when Hugo's *Hernani* had to overcome the opposition of its enemies: an enormous crowd breaking down the railings, people dining in the theatre in order to secure seats, the court ladies waiting in the actresses' loges to have a better chance of seeing the play. Beaumarchais witnessed the triumph of his comedy seated between two abbés whom he had invited to come and administer "quelques confortatifs et des secours très spirituels au moment de la crise." Sixty-eight performances, almost consecutive, did not exhaust the public's enthusiasm for the play. Naturally Beaumarchais' enemies were not silent, and a war of epigrams and pamphlets ensued. At a meeting of the Academy, Suard violently attacked the author in the presence of the crown prince of Sweden, who, however, was not dissuaded from going for the third time to applaud the play. As a reply to his enemies Beaumarchais wrote the animated preface to the *Mariage*,[1] and in a letter to one of the papers, replying to the attacks of Suard and the Comte de Provence, he remarked, "Quand j'ai dû vaincre lions et tigres pour faire jouer une comédie, pensez-vous, après son succès, me réduire, ainsi qu'une servante hollandaise, à battre l'osier tous les matins sur l'insecte vil de la nuit." Suard was naturally the "insecte vil" and the author's enemies persuaded the amiable locksmith-king that he was the lion, so in a fit of anger, the story runs, as he was playing cards at the time, he wrote on the back of the seven of spades an order for Beaumarchais' imprisonment in Saint-Lazare, used for the confinement of depraved youths. Five days later public indignation at this affront induced Louis to liberate the dramatist. A delicate reparation was made when soon afterwards a private performance of the *Barbier* was given at the Trianon with Marie Antoinette as Rosine, the Comte d'Artois as Figaro, and Vaudreuil as the Count. The dramatist's ruffled feelings were further soothed by the payment of an arrears of 800,000 francs, due for damages suffered by his fleet in the service of his country.

From this time on the reputation and fortune of Beaumarchais decline. His interest in the new Compagnie des Eaux de Paris brings him into conflict with

---

[1] Owing to its length (about 40 pages) the preface has been omitted in this edition.

Mirabeau, who had been hired to discredit the enterprise.   To Mirabeau's defamatory pamphlets Beaumarchais made no reply, — a grave mistake in a period
when vehement recriminations were so necessary and so
effective.   In 1781 he was induced to interfere in defence of Madame Kornman, whose husband, eager to
obtain the surrender of her dowry, was bringing
against her belated charges of infidelity.   The husband
secured the services of a young Provençal lawyer,
Bergasse, whose furious, bombastic attacks upon Beaumarchais in innumerable pamphlets were met by the
latter's calm irony and appeal to the good sense of
the public.   Though the parliament in 1789 passed
sentence completely in favor of Madame Kornman
and suppressed the writings of Bergasse as false and
calumnious, the public of those agitated times had been
persuaded by the noisy eloquence of the young Provençal advocate, and Beaumarchais was covered with
a cloud of popular detestation.[1]

In the midst of the Kornman controversy he had
been rehearsing his new opera Tarare, which was first
performed in 1787 (June 8).   The music was by
Salieri, a brilliant pupil of Gluck's.[2]   Beaumarchais'
versification in the libretto falls far short of the preten-
sions of the theme; yet, thanks to the novelty of the

---

[1] Beaumarchais got his revenge later on in the *Mère coupable* by
giving the name Bégearss to the most detestable character in the play.

[2] Beaumarchais first tried to persuade Gluck himself to write the
score.

subject and the merit of some of the music, the piece had considerable success and was even modified repeatedly later on to conform to the successive political ideals of Constitutionalists, Republicans, and the Royalists of the Restoration.

In 1786 Beaumarchais married Mlle Willermaula, by whom he had had a daughter six years before. In order to establish his family in a manner worthy of his wealth and station, he built opposite the Bastille a sumptuous house surrounded by elaborate gardens, planning to occupy it in 1791. Feeling the danger of popular envy and suspicion in these days of *égalité*, he sought to ingratiate the public by granting them permission to visit freely his house and grounds. But all to no purpose. The neighboring quarter was notoriously turbulent, the site of the demolished Bastille was full of associations of hatred toward the privileged classes, and this splendid home close by maintained constant suspicion and led to repeated denunciation, to thwart which Beaumarchais had to obtain certificates of citizenship, write self-justifying pamphlets, and distribute lavish alms. Yet in the midst of these disquieting conditions he found leisure to complete his last drama, *La Mère coupable* (1792), in which the main characters of the *Barbier* and the *Mariage* reappear in a situation very different from the gay intrigues of the earlier comedies. His declared plan was to "faire étouffer de sanglots avec les mêmes personnages qui nous firent rire aux éclats." Vastly

inferior to his two great masterpieces, this drama had
nevertheless one act, the fourth, which showed great
dramatic power and for a time assured the play a
moderate success.

Just before the performance of the *Mère coupable*
Beaumarchais had acquired in Holland for the French
Government 60,000 muskets, made available by the
disarmament of the Low Countries. The difficulty
was to get them delivered, since Austria, who had
sold the guns, had stipulated that they should be sent
to the colonies. In spite of repeated efforts, Beaumarchais failed to get the arms released by Holland, and
the French patriots murmured, accusing him of having
the guns concealed in his own house. In 1792 he was
denounced before the National Assembly, and his
house was examined. Though nothing was found, he
was led off to prison and the intercession of a former
mistress, now in a position of influence, was the only
thing that saved him in that year of terror from the
guillotine and restored to him his liberty. Beaumarchais, who had advanced 745,000 francs to the
government as security for the delivery of the arms,
entreated Danton to aid him and advance some funds.
Danton sent him to Holland with the assurance that
he would there receive the necessary money. At the
Hague he learns that in his absence he has been accused
of conspiracy. He then goes to England, is there
imprisoned for debt, and in prison writes his bold
Mémoire des Six Époques, which he distributes on his

return to Paris. This pamphlet would have cost him his head if the Committee of Public Safety had not been in great need of his muskets. Again he is sent to Holland, but all in vain. The arms were never delivered as England succeeded in getting possession of them. Beaumarchais' name was now put on the list of émigrés, his property was confiscated, his wife, sister and daughter were thrown into prison, and only the end of the Terror on the 9th of Thermidor saved their lives. Three years Beaumarchais passed in exile, from which he dared not return until the Directory succeeded the Convention in 1796.

Beaumarchais' financial condition was now precarious, and at the age of sixty-five he had to exert all his efforts to restore his shattered fortunes. So well did he succeed that at his death his estate was valued at 659,000 francs, an amount at that time equal to about three times its present value. To the end he was active not only in these financial matters but also in public affairs. On the night of the 17th of May, 1799, he passed away quietly in his sleep, and was buried in his own garden. When the house was demolished after the Restoration, his remains were transferred to the cemetery of Père-Lachaise.

Even the above brief sketch of our author's life is sufficient to reveal the outstanding traits in his character: his immense ambition, aided by resourceful energy, unhampered by delicate scruples, always superior to despair. "Ma vie est un combat," was a motto which, though incorrectly attributed to him, he certainly would not have disowned, — a struggle towards success along the paths of trade, court life, political intrigue, financial venture, and the drama. Confronting him the "triple habile homme" found the pride and contempt of the nobles, the jealousy of literary rivals, the schemes of those endeavoring to plunder him. At moments bitterness took possession of him, and in this mood he crystallized in Figaro the resentment of the plebeian crushed under the weight of social injustice. Yet, as with Figaro, Beaumarchais' bitterness is only a passing cloud. Pleasure and gaiety claim him, and to them he turns the same energy that marks all his other activities. Nor must we forget that life, though it gave its inevitable chastening, with crushing blows at times, was often very kind to our author. He knew the pleasures of popularity, wealth, and success. If Figaro would have rejoiced at the overturn of society and the destruction of the Bastille, the feelings of his creator, Beaumarchais, were very different when the rush of events came to their logical and tragic conclusion. His is a complex nature, an extraordinary mixture of unblushing egotism and generosity, candor and intrigue, insolence and social charm, cynicism and sensibility. His satire is almost without exception above mean personalities, his generosity was of the sincere kind that does not forget to open its purse, his loyalty as a son and brother was exemplary. Some of his worst vices — be it said, not to absolve

him, but to temper our judgment — were those of an
age which, while striving on the one hand for the
betterment of humanity, could yet say from the
throne: "Après moi le déluge."

BEAUMARCHAIS AND THE DRAMA

Of the many thousand plays written in the eighteenth
century only a comparatively small number deserve
a lasting reputation. In tragedy especially, owing to
the slavish imitation of Racine, the stage was out of
touch with the questions that were absorbing the
interest of the nation. With few exceptions the trage-
dies of the period were insipid, conventional, bombastic creations. In comedy things were infinitely better,
and the century can point to a considerable number of
graceful, clever pieces that would fully vindicate its
literary reputation, but which, measured by the masterpieces of Molière in the preceding century, indicate
clearly a decline. Realizing the decadence of the
theatre and the need of a revival, a number of writers
attempted to create a new dramatic form, overstepping
the boundaries of the sharply distinguished tragedy
and comedy, and presenting on the stage for the first
time in France the middle-ground of everyday domestic crises. The most important of these playwrights
are La Chaussée, Diderot, Mercier, and Sedaine, and
their pieces were variously christened "comédies lar-
moyantes," "tragédies bourgeoises," and "drames."

Though Diderot's plays were flat failures, his able dissertations on dramaturgy gave him the place of leading theorist in the new but short-lived school. Sedaine alone, with his *Philosophe sans le savoir*, has produced an enduring masterpiece in this class of drama, which, in spite of many efforts, was not destined to achieve success until the advent of the romantic dramatists in the following century. Beaumarchais, enthusiastically joining the ranks of the innovators, wrote *Eugénie* and *Les Deux Amis*, and after his brilliant success with his two comedies, the *Barbier de Séville* and the *Mariage de Figaro*, he made the great mistake of returning to the emotional "drame" with *La Mère coupable*. He even had another play of the same class in mind to be entitled *La Vengeance de Bégearss ou le Mariage de Léon*, but, fortunately for his reputation, it was never finished.[1] His place in the history of the drama was won by the *Barbier de Séville* and the *Mariage de Figaro*.

With the death of Molière the chapter of the comedy of character seemed almost brought to a close. The main satiric types of humanity were practically exhausted and before Beaumarchais no one ventured to imitate the fearless attacks of the author of *Tartuffe*. The real accomplishment was in the comedy of intrigue and manners, which, beginning the warfare against contemporary social abuses, gradually became a universal satire, at first gay and witty, but in time

[1] Cf. Lintilhac, *Beaumarchais*, p. 524, first paragraph.

showing an increasing undertone of serious protest. The chief writers of this class of play are Dancourt, Regnard, Marivaux, Dufresny and Lesage; the masterpiece was the latter's *Turcaret*. At the same time the *philosophe* ideas of social equality, with attacks upon the arrogance of the nobility, were finding dramatic expression, but with a vagueness that left the great public unsatisfied and ready to greet with frenzied applause the man who, laying aside reserve, respect, and refined good taste, should assail the enemy with the directness of Molière and the wit of Aristophanes. They found their man in Beaumarchais, whose Figaro became the champion of the people in the relentless fight for their rights.

With the *Barbier de Séville* the dramatic horizon had been widened. The play carried out some of the ideas of Diderot, blended many of the elements of the preceding comedy, — Molière, Marivaux, Lesage; gave the piquancy of a Spanish setting, showed a new and marvellous skill in plot, a new swiftness and sparkle to the dialogue, but, above all, it gave us Figaro:[1] Beaumarchais and the "Fourth Estate" in one. With the *Mariage* we are carried much farther.

In the drama it is a dangerous experiment to use the

[1] The origin of the name Figaro has been most satisfactorily explained by Lintilhac as a possible 'nom de bal' disguising the words *fils Caron*, pronounced *fi Caron*, according to the old pronunciation still in use. "Ainsi Figaro cacherait *fils Caron*, comme pour signifier que l'homme est dans l'œuvre et qu'il est double" (*Hist. gén. du théâtre fr.*, IV, 447 and note.)

same characters in two successive plays, yet Beaumarchais has made the venture with complete success. By giving the plot an entirely different turn, making Figaro no longer the count's instrument, but his bitter antagonist, the interest of the spectator is at once awakened. The familiarity with the characters heightens rather than weakens our curiosity. Then, new and original characters of surprising vitality enter naturally into the story, several plots are interwoven with subtle skill, and the great social problem of the day, the conflict between the different classes, is thrown into the foreground and becomes a centre of interest.

Our author, who, in the words of Brunetière, was the most complete man of the end of the eighteenth century, breathes his own life into his characters, — hence, with all their variety of type, their unfailing vitality. The precocious, amorous watchmaker's apprentice of thirteen lives again as Chérubin; De Beaumarchais, the handsome courtier, appears as Almaviva; his experiences as magistrate and as litigant give life to the court scene, but above all, his whole checkered career and his whole character — with some differences, to be sure — are summed up in Figaro, who comes before us as one of the most real, extraordinary, and fascinating characters that the history of comedy has produced. This self-portrayal, though preceded by the self-examinations of Rousseau, was a complete novelty on the stage, and, contrary to the usual fate of the subjective drama, proved a brilliant success.

Not only did the witty, plucky, impudent Figaro become the universally recognized type of one phase of the French genius, but, strangely enough, the embittered, fate-ridden Figaro of the monologue seems to have become the ancestor, though not the direct parent, of the gloomy, self-conscious heroes of the Romantic *drame,* — the Hernanis, Didiers, Antonys and their brood.[1]

It would take too much space to show all that Beaumarchais owed to his predecessors: his debt to Regnard in handling and diversifying his plot; to Lesage in the creation of his main character, and in the Spanish setting; to Marivaux in the art of putting living women on the stage. The *Mariage* is a mingling of the various dramatic traditions: the social satire of Molière, Italian intrigue, *drame bourgeois;* "the synthesis of a long literary and dramatic past" in which the good has been utilized and the bad rejected with consummate skill.[2]

In the first form of the play the author's audacity went so far as to make Figaro deliver his challenge in France, at Paris, and in the time of Louis XVI. As in the *Mère coupable* the scene of the *Mariage* was originally laid in France, and the "château fort" mentioned in the monologue (Act V, scene III), was

[1] Cf. H. Parigot, *Alexandre Dumas père,* p. 62.

[2] For Beaumarchais' remote and direct indebtedness to his predecessors, consult Lintilhac, *Hist. gén. du théâtre en France,* IV, 416 ff., Brunetière, *Époques du théâtre français,* pp. 298 ff., Loménie, II, 340–355.

definitely named the "Bastille."[1] The shift of scene to
the other side of the Pyrenees was doubtless effected
in order to disarm the royal opposition awakened at
the first private reading of the play, when, on hearing
Madame de Campan read such words as "pendant
qu'on fermait la porte de mon libraire, on m'ouvrait
celle de la Bastille," the king sprang up, exclaiming:
"C'est détestable, cela ne sera jamais joué, il faudrait
détruire la Bastille pour que la représentation de cette
pièce ne fût pas une inconséquence dangereuse." The
Spanish coloring is therefore merely on the surface,
and though the time of the action is left vague, notwithstanding the medieval suggestion of the "droit
du seigneur," the social and political conditions and
the whole spirit of the play clearly picture the eighteenth century and could be only a product of Beaumarchais' own time, the period between 1760 and 1790,
"ces années heureuses où, selon le mot célèbre, on a
senti comme jamais le prix et la douceur de vivre; où,
fatigué d'avoir tant pleuré, on se reprenait à rire de
tout, même des choses les plus sérieuses; et où l'on
voyait de jour en jour approcher la révolution, mais
où l'on croyait encore que les révolutions se font à
l'eau de rose."[2]

The *Mariage*, like the *Barbier*, is epoch-making for

[1] For an interesting proof of this, see the fragments of the original
version of the monologue found by Lintilhac and published in the *Revue
des deux Mondes*, CXVI (March 1, 1893), pp. 154 ff.; repeated in his
Hist. gén. du théâtre, IV, 432 ff. See our note to p. 182, l. 16.

[2] Brunetière, *Époques du théâtre*, p. 305.

its skill in the treatment of the plot, its fresh, vigorous characters, its swift, elliptical dialogue,[1] its amusing impudence. But it goes much further than the earlier masterpiece. Its plot, though it serves as the warp for a wildly complicated, entertaining pattern of events, is fundamentally much more serious than that of the *Barbier*. There are more characters, a greater variety of situations, more pictorial effect in the composition of the scenes. The *Barbier* has the advantage of a greater simplicity, an undisturbed gaiety of tone, a more compact unity, and accordingly will have the preference of those who are essentially classical in their taste. The *Folle Journée*, true to its title, offers scenes in marked contrast to one another: some tender, some boisterously merry, some expressing the sensibility of the contemporary *comedie larmoyante*, some even inspired by bitterness and revolt. With all its mad gaiety it is a broader and deeper study of life, the incarnation of a social mood of the day full of tragic possibilities. Though not to be regarded, as some have suggested, as one of the direct causes of the French Revolution, it was certainly a contributing factor to that great upheaval of society; one of those events in the life of a nation that serve to intensify and crystallize public opinion, and at least to accelerate a movement already under way. Figaro is the literary cockade of the days of the "Rights of Man" and also,

---

[1] Cf. Beaumarchais' Preface, p. 23, edit. Roustan, for his idea of dramatic dialogue.

we might say, to a lesser degree, of the programme of the "Rights of Women."

We add to our brief review of the life and work of Beaumarchais a few quotations that will complete and clarify the student's judgment:

"Figaro est, en effet, la plus vivante incarnation littéraire du type français; aussi est-il natif de Paris. Du Parisien il a les traits essentiels dans le caractère et dans l'esprit, la gaieté aiguë et fanfaronne à l'ordinaire, mais, dans l'instant de la crise, tout le sérieux nécessaire. Très moqueur, et pourtant très sensible; très attaché à ses droits et parfois à ses maîtres; tenant d'ailleurs moins à son salaire qu'à son franc parler; le plus souvent mutin, rarement dupe, jamais sot; ayant l'esprit attique, mais mâtiné de gauloiserie; provisoirement vengé par des mots pour rire, qui préparent des barricades très sérieuses, tel est Figaro, le plus brillant et le plus terrible des gamins de Paris.

Au demeurant, le meilleur fils du monde.

Par cette création du type de Figaro, Beaumarchais est le premier des comiques français après Molière, l'incomparable peintre des caractères." (Lintilhac, *Histoire générale du théâtre français*, IV, 452, 453.)

"Le premier rang dans la littérature polémique, immédiatement au-dessous de Pascal, un des premiers dans la comédie après Molière, tels sont à nos yeux les deux titres de Beaumarchais à l'immortalité." (Lintilhac, *Beaumarchais*, p. 363.)

"Les trois génies caractéristiques de notre scène: Corneille, Molière, Beaumarchais." (Victor Hugo, Preface to *Cromwell*, p. 20, edit. Hetzel-Quantin.)

"Tandis que la comédie classique en vers ira s'évanouir dans les pâles œuvres des Collin d'Harleville et d'autres plus oubliés encore, le *Mariage* et le *Barbier* offriront le modèle d'une comédie en prose, plus vivante, plus colorée, plus intéressante. . . . Beaumarchais sera pour quelque chose, très diversement, mais très réellement, dans l'œuvre de Scribe et de M. Sardou, dans celle d'Augier et dans celle de M. Dumas." (Lanson, *Hist. de la litt. fr.*, p. 805.)

"L'œuvre féconde, mécanisme du vaudeville, âme du drame, dont Dumas a reçu l'impulsion et la technique, je ne la puis voir ailleurs que dans le *Mariage de Figaro;* — et, tout proche du dénoûment, comme un pont jeté sur l'avenir, j'aperçois le monologue, ce long monologue essentiel, car tout y est en substance." (H. Parigot, *le Drame d'Alexandre Dumas*, p. 223.)

BIBLIOGRAPHY

WORKS OF BEAUMARCHAIS

" L'œuvre de Beaumarchais est comme un triple miroir où se réfléchissent l'esprit de l'auteur, le tempérament d'un peuple et les mœurs d'un siècle." (Hallays, *Beaumarchais*, p. 130.)

Parades: i.e. burlesque comedies full of coarse humor, inspired by the fair shows. The taste for these had been introduced into the aristocratic private theatres by Gueullette, and most of Beaumarchais' parades were acted at the house of the fermier général, M. LeNormand d'Étioles. Beaumarchais not only wrote the plays and composed many of the airs but also frequently acted parts in them. Although Beaumarchais' parades are masterpieces of the kind he wisely consigned them to oblivion. Four of them were published for the first time in the Fournier edition of our author's works (1884): *Jean Bête à la Foire, Colin et Colette, Les Bottes de Sept Lieues, Les Députés de la Halle.* Cf. Lintilhac, *Beaumarchais*, pp. 35, 213 ff., and *Histoire générale du Théâtre*, IV, 376 ff.

Eugénie: *Drame en cinq actes et en prose, représenté pour la première fois sur le théâtre de la Comédie française, le 29 janvier 1767.*[1] Has been acted 192 times at the Théâtre-Français. Not performed there since 1863.

First edition, Paris, Merlin, 1767. Cordier, *Bibliographie*, mentions fourteen translations: one into Italian (1768), two English (1769, 1795), six German (1768–1832), one Danish (1775), two Swedish (no date), two Russian (1770, 1778). Cordier omits the Spanish translation of 1786: *Eugenia, Traducción*; in Cruz y Cano, *Teatro*, 1786, vol. iii.

Important preface: *Essai sur le Drame Sérieux.*

---

[1] Not June 25, as stated on the title page of the first editions.

Les Deux Amis: *ou le Négociant de Lyon, drame en cinq actes et en prose. Représenté pour la première fois sur le théâtre de la Comédie française à Paris, le 13 janvier 1770.* Has had only fourteen performances at the Théâtre-Français: twelve between 1761 and 1770, two in 1783. First edition: Paris, Veuve Duchesne, 1770. Cordier gives eight translations and adaptations: one Spanish (no date), two Portuguese, one English (1800), two German (both 1771), one Swedish, one Dutch (1780), and one French imitation (1825).

Mémoires contre Goëzman: Paris, 1773, 1774.

Le Barbier de Séville: *ou la Précaution inutile, comédie en quatre actes. "Réprésentée et tombée sur le Théâtre de la Comédie Française aux Tuileries, le 23 de Février 1775."* Performed 766 times at the Théâtre-Français between 1775 and 1900. The first form appeared as a 'parade'; then offered, in a modified form, as an opéra-comique, to the Comédie-Italienne, 1772, but refused. Accepted as a comedy by the Comédie-Française. The first performance a failure, but, retouched, and reduced from five acts to four, it had a brilliant success at the second performance. There are three manuscript forms: the first in four acts, as accepted by the Comédie-Française; the second, expanded, and with a fifth act added, as performed the first night; the third, as modified for the second performance, reduced again to four acts and with numerous excisions. Some of the excluded material was used later in the *Mariage.*

First edition, Paris, Ruault, 1775. Seventeen translations into Portuguese, English, German, Danish, Swedish, and Russian are mentioned in Cordier.

In 1780 the Italian composer Paisiello produced at St. Petersburg his operatic masterpiece *Il Barbiere di Siviglia,* libretto by Stirbini, based on the French play. Rossini's music to the same libretto in 1816 completely supplanted the earlier composer's work.

SUMMARY OF THE *Barbier* (helpful for the appreciation of the *Mariage*):

Count Almaviva, who has seen the fair Rosine at Madrid, follows her to Seville, where he finds that she is the ward of the crafty old doctor Bartholo, who intends to make her his wife. With the aid of the resourceful and rather unscrupulous barber, Figaro, who has seen many sides of life, he informs her of his love, and schemes in various ways to obtain an interview with her, but each effort is thwarted by the suspicious precautions of the old doctor, who arranges for the immediate celebration of his marriage. There ensues a fierce battle of wits. First the Count obtains an entrance to the house in the disguise of a drunken officer, then as Rosine's singing master, coming in place of the organist Bazile, who is reported to be ill. Each time, however, the suspicions of Bartholo make his stronghold impregnable. Finally the Count comes to Rosine's appartment through the balcony shutters, and soon after, when, in the absence of Bartholo, the notary appears to perform the marriage of the doctor and his ward, Almaviva assumes by a misunderstanding the place of the bridegroom and is married to Rosine.

All the main characters of this play reappear in the *Mariage*.

Mémoires contre Falcoz-Lablache: Aix, 1775–1778.

Observation sur le Mémoire justificatif de la cour de Londres: 1779.

La Folle Journée, ou le Mariage de Figaro: *Comédie en cinq actes, en prose. Représentée pour la première fois par les Comédiens Français du Roi, le Mardi 27 Avril* 1784.

Begun in 1775; finished in 1778; accepted by the Théâtre-Français in 1781; approved by the first censor, but disapproved by the king, especially on account of the monologue of Act V. In 1783 permission was given for a performance in the theatre of the Hôtel des Menus-Plaisirs, but cancelled by the king's order at the last moment. In the same year, September 27, a private performance at Gennevilliers. First public performance, April 27, 1784. Sixty-eight consecutive performances. A total of 725 performances at the Théâtre-Français between 1784 and 1900.[1]

First authorized edition, Ruault, Paris, 1785, with five illustrations by St. Quentin (Cordier, no. 128). Another edition of the same year was printed at Kehl with the type used for Beaumarchais' edition of Voltaire (Cordier, no. 129). In the same year ten

[1] See Table, pp. xx, xxi of Joannidès, *La Comédie-Française de 1680–1900.*

other editions were printed at Paris, Amsterdam, Lyons, Stockholm, Ghent, Dresden. Several pirated editions in 1784 and 1785, Amsterdam, Nuremberg, Paris, etc. Cordier mentions altogether thirty-seven editions and reimpressions of the comedy up to 1883, and twenty-six translations into nine languages.

Arranged as an opera, libretto by Da Ponte, music by Mozart; first performed at Vienna in 1786. Cordier gives eight French editions of the opera.

Numerous parodies, sequels, etc. (see Cordier, pp. 53 ff.) with such titles as *La Folle Soirée*, *Le Mariage de Glogurrio*, *Le Mariage de Chérubin*, *Les deux Figaro*, etc.

Tarare: *Opéra en cinq actes. La musique de M. Saliéri, maître de musique de S. M. Impériale. Représenté pour la première fois sur le théâtre de l'Académie royale de musique, le vendredi 8 juin 1787.*

Already written in prose and partly versified as early as 1775. First edition, Paris, 1787. Cordier mentions eight editions and impressions, three parodies, and three translations.[1]

Mémoires en réponse à Guillaume Kornman: Paris, 1787.

L'autre Tartuffe, ou la Mère coupable: Drame en cinq actes, en prose. First performed at the Théâtre du Marais, June 26, 1792. Performed 114 times at the Comédie-Française between 1792 and 1850. Not performed there since. First edition (unauthorized), Paris, 1792. First authorized edition, Paris, Rondonneau, 1797. The play was conceived at least as early as 1784. The author himself says: "J'ai travaillé vingt ans à composer la situation."

Mémoires à Lecointre, ou les Six Époques: Paris, 1793.

PRINCIPAL EDITIONS

1. **Œuvres complètes:** edition Gudin de La Brenellerie, 7 vols., 1809; — Ledoux, 6 vols., 1821; — Furne, 6 vols., 1828; — Moland, Paris, Garnier, 1874; — Fournier, Paris, Laplace, 1876. The latter publishes four of the Parades and some other minor works for the first time.

---

[1] Cordier does not mention *Tarare, Songs, Recitatives, Duets*, etc., in the opera entitled *Tarrare* (sic), *The Tartar Chief* [adapted from the French play . . .], London [1825].

2. **Théâtre:** *Réimpression des éditions princeps, avec les variantes des mss. originaux, par D'Heylli et Marescot,* 4 vols.; Académie des Bibliophiles, Paris, 1869–1871. — A very handy edition by M. Roustand in 2 vols., Paris, Larousse, gives 'Extraits suivis' of *Eugénie, les Deux Amis, Tarare,* and *la Mère coupable;* the other plays complete. For first editions see under separate works above.

3. **Le Mariage de Figaro:** Besides the edition in vol. iii of the D'Heylli et Marescot and the Roustand edition mentioned above, the following recent ones may be noted: E. Renault, London, Swan Sonnenschein, 1911; — edition Renaissance du Livre; — edition by Beauquier, Paris, Lemerre, 1914. For the first edition see under separate works above.

Biography and Criticism [1]

Loménie, *Beaumarchais et son temps,* 2 vols., 1856. — Lintilhac, *B. et ses œuvres,* Hachette, 1887. — Hallays, *Beaumarchais* (Grands Écrivains fr.), 1897. Gudin de la Brenellerie, *Histoire de Beaumarchais* (written 1801–1809?), Plon, 1888. — A. Bettelheim, *Beaumarchais, eine Biographie,* Frankfort, 1886. — D'Arneth, *Beaumarchais und Sonnenfels,* Vienne, 1868. — Cousin d'Avallon, *Vie privée, politique et litt. de B.,* Michel, 1802. — Esmenard, article *Beaumarchais* in the *Biographie universelle.* — Sainte-Beuve, *Causeries du lundi,* vol. vi. — Jal, art. *Beaumarchais* in the *Dictionnaire critique.* — Edmond et Jules de Goncourt, *Portraits intimes du XVIIIe siècle.* — Walter Besant, *The French Humorists,* London, 1873. — M. Tourneux, art. *Beaumarchais* in *la Grande Encyclopédie.* — Lénient, *la Comédie en France au XVIIIe siècle,* vol. ii. — Lemaître, *Impressions de théâtre,* 3e série. — Lintilhac, *Histoire générale du théâtre en France,* vol. iv. — Brunetière, *les Époques du théâtre français.* — F. Sarcey, *Quarante Ans de théâtre,* vol. ii. — Joannidès, *la Comédie-Française de 1600 à 1900* (Plon, 1901). —

[1] For a good brief account of Beaumarchais' life and works the editor would recommend Hallays' *Beaumarchais.* A fuller study would include Loménie, Lintilhac (both the *Beaumarchais* and the last part of Vol. IV of the *Histoire gén. du théâtre*), Brunetière, *Époques du théâtre français,* read in this order.

F. Gaiffe, *le Drame en France au XVIIIe siècle* (Colin, 1910). — Marc-Monnier, *les Aïeux de Figaro*. — Geoffroy, *Cours de littérature dramatique*, vol. iii. — T. Gautier, *Histoire de l'art dramatique*, 6e série. — Porel et Monval, *l'Odéon*, vol. i. — Paul de Saint-Victor, *les Deux Masques*, vol. iii. — Paul Bonnefon, *Beaumarchais* (*l'Artiste*). — Barbey d'Aurevilly, *le Théâtre contemporain*, nouv. série. — J. J. Weiss, *Autour de la Comédie française*. — Larroumet, *Études d'histoire et de critique dramatiques*. — H. Parigot, *A. Dumas père*.

BIBLIOGRAPHY

H. Cordier, *Bibliographie de Beaumarchais*, Paris, Quantin, 1883.

BEAUMARCHAIS' PROGRAMME OF THE *Mariage de Figaro*

(The following outline by the author's hand was found and first published by Lintilhac in his *Beaumarchais*, p. 259.)

«*Programme du* Mariage de Figaro. — *Figaro, concierge au château d'*Aguas-Frescas, *a emprunté dix mille francs de Marceline, femme de charge du même château, et lui a fait son billet de les rendre dans un terme ou de l'épouser à défaut de payement. Cependant, très amoureux de Suzanne, jeune camariste de la comtesse Almaviva, il va se marier avec elle, car le comte, épris lui-même de la jeune Suzanne, a favorisé ce mariage, dans l'espoir qu'une dot, promise par lui à la fiancée, va lui faire obtenir d'elle en secret la séance du droit du seigneur, droit auquel, en se mariant, il a renoncé entre les mains de ses vassaux. Cette petite intrigue domestique est conduite pour le comte par le peu scrupuleux Bazile, maître de musique du château. Mais la jeune et honnête Suzanne croit devoir avertir sa maîtresse et son fiancé des galantes intentions du comte; d'où naît une union entre la comtesse, Suzanne et Figaro, pour faire avorter les desseins de Monseigneur. Un petit page, aimé de tout le monde au château, mais espiègle et brûlant comme tous les enfants spirituels de treize ou quatorze ans, fuyant dans ses gaietés son maître, et qui, par sa vivacité et son étourderie perpétuelles, dérange plus d'une fois sans le vouloir le comte dans sa marche, autant qu'il en est dérangé lui-même, ce qui amène quelques incidents assez heureux dans la pièce... Le comte enfin, s'apercevant qu'il est joué, sans deviner comment on s'y prend,* se résout à se venger en favorisant les prétentions de Marceline. Ainsi, désespéré de ne pouvoir faire sa maîtresse de la jeune, il va faire épouser la vieille à Figaro, que tout cela désole. Mais, à l'instant qu'il croit s'être vengé en jugeant, et (que) comme premier magistrat d'Andalousie, Almaviva (il) condamne Figaro à épouser Marceline dans le jour ou à lui rendre ses dix mille francs, ce qui est impossible à ce dernier, on apprend que Marceline est mère inconnue de Figaro, ce qui détruit tous les projets du comte, lequel ne peut plus se flatter d'être heureux ni vengé. Pendant ce temps, la comtesse, qui n'a pas renoncé à l'espoir de ramener son infidèle époux en le surprenant en faute, est convenue avec Suzanne que celle-ci feindrait enfin d'accorder un rendez-vous dans le jardin au comte, et que l'épouse s'y trouverait en place de la maîtresse. Mais un incident imprévu vient d'instruire Figaro du rendez-vous donné par sa fiancée. Furieux de se croire trompé, il va se cacher au lieu bien indiqué pour surprendre le comte et Suzanne. Au milieu de ses fureurs, il est agréablement surpris lui-même en apprenant que tout cela n'est qu'un jeu entre la comtesse et sa camariste pour abuser le comte; il finit par entrer de bonne grâce dans la plaisanterie; Almaviva, convaincu d'infidélité par sa femme, se jette à genoux, lui demande un pardon qu'elle lui accorde en riant, et Figaro épouse Suzanne.»

LA FOLLE JOURNÉE

OU LE

MARIAGE DE FIGARO

PERSONNAGES

LE COMTE ALMAVIVA, grand corrégidor
   d'Andalousie.......................... M. Molé [1]

LA COMTESSE, sa femme............... Mlle Saint-Val

FIGARO, valet de chambre du Comte et
   concierge du château.................. M. d'Azincourt

SUZANNE, première cameriste de la Comtesse et fiancée de Figaro.............. Mlle Contat

MARCELINE, femme de charge.......... Mme Bellecourt
                     Et ensuite Mlle La Chassaigne

ANTONIO, jardinier du château, oncle de
   Suzanne et père de Fanchette........... M. Belmont

FANCHETTE, fille d'Antonio............. Mlle Laurent

CHÉRUBIN, premier page du Comte....... Mlle Olivier

BARTHOLO, médecin de Séville.......... M. Desessarts

BAZILE, maître de clavecin de la Comtesse. M. Vanhove

DON GUSMAN BRID'OISON, lieutenant
   du siège.............................. M. Préville
             Et ensuite M. Dugazon

DOUBLE–MAIN, greffier, secrétaire de Don
   Gusman.............................. M. Marsy

UN HUISSIER AUDIENCIER.......... M. La Rochelle

GRIPPE–SOLEIL, jeune pastoureau....... M. Champville

UNE JEUNE BERGÈRE.............. Mlle Dantier

PÉDRILLE, piqueur du Comte........... M. Florence

PERSONNAGES MUETS

Troupe de Valets — Troupe de Paysannes
Troupe de Paysans

La scène est au château d'Aguas-Frescas, à trois lieues de Séville

[1] This list, taken from the first authorized edition (1785), gives
the names of the actors who created the rôles, with the exception of
Grippe-Soleil, first taken by M. Larive.

CARACTÈRES ET HABILLEMENTS DE
LA PIÈCE

LE COMTE ALMAVIVA doit être joué très noblement, mais avec
grâce et liberté. La corruption du cœur ne doit rien ôter au *bon
ton* de ses manières. Dans les mœurs *de ce temps-là*, les grands
traitaient en badinant toute entreprise sur les femmes. Ce rôle
est d'autant plus pénible à bien rendre que le personnage est 5
toujours sacrifié. Mais, joué par un comédien excellent (M. *Molé*),
il a fait ressortir tous les rôles et assuré le succès de la pièce.

    Son vêtement des premier et second actes est un habit de chasse
avec des bottines à mi-jambe de l'ancien costume espagnol. Du
troisième acte jusqu'à la fin, un habit superbe de ce costume. 10

LA COMTESSE, agitée de deux sentiments contraires, ne doit
montrer qu'une sensibilité réprimée, ou une colère très modérée;
rien surtout qui dégrade aux yeux du spectateur son caractère
aimable et vertueux. Ce rôle, un des plus difficiles de la pièce, a
fait infiniment d'honneur au grand talent de M\ll\e *Saint-Val* cadette. 15

    Son vêtement des premier, second et quatrième actes est une
lévite commode, et nul ornement sur la tête: elle est chez elle et
censée incommodée. Au cinquième acte, elle a l'habillement et la
haute coiffure de Suzanne.

FIGARO. L'on ne peut trop recommander à l'acteur qui jouera 20
ce rôle de bien se pénétrer de son esprit, comme l'a fait M. *Dazin-
court*. S'il y voyait autre chose que de la raison assaisonnée de
gaieté et de saillies, surtout s'il y mettait la moindre charge, il
avilirait un rôle que le premier comique du théâtre, M. *Préville*, a
jugé devoir honorer le talent de tout comédien qui saurait en 25
saisir les nuances multipliées et pourrait s'élever à son entière
conception.

    Son vêtement comme dans le *Barbier de Séville*.

SUZANNE. Jeune personne adroite, spirituelle et rieuse, mais
non de cette gaité presque effrontée de nos soubrettes corruptrices. 30

Son vêtement des quatre premiers actes est un juste blanc à basquines, très élégant, la jupe de même, avec une toque appelée depuis par nos marchandes: *à la Suzanne.* Dans la fête du quatrième acte, le Comte lui pose sur la tête une toque à long voile, à 5 hautes plumes et à rubans blancs. Elle porte au cinquième acte la lévite de sa maîtresse et nul ornement sur la tête.

MARCELINE est une femme d'esprit, née un peu vive, mais dont les fautes et l'expérience ont réformé le caractère. Si l'actrice qui le joue s'élève avec une fierté bien placée à la hauteur très morale 10 qui suit la reconnaissance du troisième acte, elle ajoutera beaucoup à l'intérêt de l'ouvrage.

Son vêtement est celui des duègnes espagnoles, d'une couleur modeste, un bonnet noir sur la tête.

ANTONIO ne doit montrer qu'une demi-ivresse qui se dissipe par de- 15 grés, de sorte qu'au cinquième acte on n'en aperçoive presque plus.

Son vêtement est celui d'un paysan espagnol, où les manches pendent par derrière, un chapeau et des souliers blancs.

FANCHETTE est une enfant de douze ans, très naïve. Son petit habit est un juste brun avec des ganses et des boutons d'argent, la 20 jupe de couleur tranchante et une toque noire à plumes sur la tête. Il sera celui des autres paysannes de la noce.

CHÉRUBIN. Ce rôle ne peut être joué, comme il l'a été, que par une jeune et très jolie femme; nous n'avons point à nos théâtres de très jeune homme assez formé pour en bien sentir les finesses. 25 Timide à l'excès devant la Comtesse, ailleurs un charmant polisson; un désir inquiet et vague est le fond de son caractère. Il s'élance à la puberté, mais sans projet, sans connaissances et tout entier à chaque événement; enfin il est ce que toute mère, au fond du cœur, voudrait peut-être que fût son fils, quoiqu'elle dût beau- 30 coup en souffrir.

Son riche vêtement, aux premier et second actes, est celui d'un page de cour espagnol, blanc et brodé d'argent; le léger manteau bleu sur l'épaule et un chapeau chargé de plumes. Au quatrième acte, il a le corset, la jupe et la toque des jeunes paysannes qui 35 l'amènent. Au cinquième acte, un habit, uniforme d'officier, une cocarde et une épée.

BARTHOLO. Le caractère et l'habit comme dans *le Barbier de Séville;* il n'est ici qu'un rôle secondaire.

BAZILE. Caractère et vêtement comme dans le *Barbier de Séville;* il n'est aussi qu'un rôle secondaire.

BRID'OISON doit avoir cette bonne et franche assurance des bêtes qui n'ont plus leur timidité. Son bégaiement n'est qu'une grâce de plus qui doit être à peine sentie, et l'acteur se tromperait lourdement et jouerait à contresens s'il y cherchait le plaisant de son rôle. Il est tout entier dans l'opposition de la gravité de son état au ridicule du caractère, et moins l'acteur le chargera, plus il montrera de vrai talent.

Son habit est une robe de juge espagnol moins ample que celle de nos procureurs, presque une soutane; une grosse perruque, une gonille ou rabat espagnol au col, et une longue baguette blanche à la main.

DOUBLE–MAIN. Vêtu comme le juge, mais la baguette blanche plus courte.

L'HUISSIER ou ALGUAZIL. Habit, manteau, épée de Crispin, mais portée à son côté sans ceinture de cuir. Point de bottines, une chaussure noire, une perruque blanche naissante et longue à mille boucles. Une courte baguette blanche.

GRIPPE–SOLEIL. Habit de paysan, les manches pendantes; veste de couleur tranchée, chapeau blanc.

UNE JEUNE BERGÈRE. Son vêtement comme celui de *Fanchette.*

PÉDRILLE. En veste, gilet, ceinture, fouet et bottes de poste, une résille sur la tête, chapeau de courrier.

PERSONNAGES MUETS, les uns en habits de juges, d'autres en habits de paysans, les autres en habits de livrée.

Placement des acteurs

Pour faciliter les jeux du théâtre, on a eu l'attention d'écrire au commencement de chaque scène le nom des personnages dans l'ordre où le spectateur les voit. S'ils font quelque mouvement grave dans la scène, il est désigné par un nouvel ordre de noms, écrit en note à l'instant qu'il arrive. Il est important de conserver les bonnes positions théâtrales; le relâchement dans la tradition donnée par les premiers acteurs en produit bientôt un total dans le jeu des pièces, qui finit par assimiler les troupes négligentes aux plus faibles comédiens de société.

LA FOLLE JOURNEE

OU LE

MARIAGE DE FIGARO

ACTE PREMIER

Le théâtre représente une chambre à demi démeublée, un grand fauteuil de malade est au milieu. FIGARO, avec une toise, mesure le plancher. SUZANNE attache à sa tête, devant une glace, le petit bouquet de fleurs d'orange appelé *Chapeau de la mariée*.

SCÈNE PREMIÈRE

FIGARO, SUZANNE

FIGARO

Dix-neuf pieds sur vingt-six.

SUZANNE

Tiens, Figaro, voilà mon petit chapeau: le trouves-tu mieux ainsi?

FIGARO *lui prend les mains*

Sans comparaison, ma charmante. Oh! que ce joli bouquet virginal, élevé sur la tête d'une belle 5 fille, est doux, le matin des noces, à l'œil amoureux d'un époux! ...

SUZANNE *se retire*

Que mesures-tu donc là, mon fils?

FIGARO

Je regarde, ma petite Suzanne, si ce beau lit que Monseigneur nous donne aura bonne grâce ici.

SUZANNE

Dans cette chambre?

FIGARO

5 Il nous la cède.

SUZANNE

Et moi, je n'en veux point.

FIGARO

Pourquoi?

SUZANNE

Je n'en veux point.

FIGARO

Mais encore?

SUZANNE

10 Elle me déplaît.

FIGARO

On dit une raison.

SUZANNE

Si je n'en veux pas dire?

FIGARO

Oh! quand elles sont sûres de nous!

SUZANNE

Prouver que j'ai raison serait accorder que je puis 15 avoir tort. Es-tu mon serviteur, ou non?

FIGARO

Tu prends de l'humeur contre la chambre du château la plus commode, et qui tient le milieu des deux appartements. La nuit, si Madame est incommodée, elle sonnera de son côté; zeste! en deux pas tu es chez elle. Monseigneur veut-il quelque chose, il 5 n'a qu'à tinter du sien; crac! en trois sauts me voilà rendu.

SUZANNE

Fort bien! mais, quand il aura *tinté* le matin pour te donner quelque bonne et longue commission, zeste! en deux pas il est à ma porte, et crac! en trois 10 sauts...

FIGARO

Qu'entendez-vous par ces paroles?

SUZANNE

Il faudrait m'écouter tranquillement.

FIGARO

Eh! qu'est-ce qu'il y a, bon Dieu!

SUZANNE

Il y a, mon ami, que, las de courtiser les beautés 15 des environs, M. le comte Almaviva veut rentrer au château, mais non pas chez sa femme; c'est sur la tienne, entends-tu, qu'il a jeté ses vues, auxquelles il espère que ce logement ne nuira pas. Et c'est ce que le loyal Bazile, honnête agent de ses plaisirs et 20 mon noble maître à chanter, me répète chaque jour en me donnant leçon.

FIGARO

Bazile! ô mon mignon! si jamais volée de bois vert, appliquée sur une échine, a dûment redressé la moelle épinière à quelqu'un...

SUZANNE

Tu croyais, bon garçon! que cette dot qu'on me
5 donne était pour les beaux yeux de ton mérite?

FIGARO

J'avais assez fait pour l'espérer.

SUZANNE

Que les gens d'esprit sont bêtes!

FIGARO

On le dit.

SUZANNE

Mais c'est qu'on ne veut pas le croire!

FIGARO

10 On a tort.

SUZANNE

Apprends qu'il la destine à obtenir de moi, secrètement, certain quart d'heure, seul à seule, qu'un ancien droit du seigneur... Tu sais s'il était triste!

FIGARO

Je le sais tellement que, si Monsieur le comte, en
15 se mariant, n'eût pas aboli ce droit honteux, jamais je ne t'eusse épousée dans ses domaines.

SUZANNE

Hé bien! s'il l'a détruit, il s'en repent; et c'est de ta fiancée qu'il veut le racheter en secret aujourd'hui.

FIGARO, *se frottant la tête*

Ma tête s'amollit de surprise, et mon front fertilisé...

SUZANNE

Ne le frotte donc pas!

FIGARO

Quel danger?

SUZANNE, *riant*

S'il y venait un petit bouton, des gens supersti- 5 tieux...

FIGARO

Tu ris, friponne! Ah! s'il y avait moyen d'attraper ce grand trompeur, de le faire donner dans un bon piège et d'empocher son or!

SUZANNE

De l'intrigue et de l'argent; te voilà dans ta 10 sphère.

FIGARO

Ce n'est pas la honte qui me retient.

SUZANNE

La crainte?

FIGARO

Ce n'est rien d'entreprendre une chose dangereuse, mais d'échapper au péril en la menant à bien: car 15 d'entrer chez quelqu'un la nuit, de lui souffler sa femme et d'y recevoir cent coups de fouet pour la peine, il n'est rien plus aisé; mille sots coquins l'ont fait. Mais... (*On sonne de l'intérieur.*)

SUZANNE

Voilà Madame éveillée; elle m'a bien recommandé d'être la première à lui parler le matin de mes noces.

FIGARO

Y a-t-il encore quelque chose là-dessous?

SUZANNE

5 Le berger dit que cela porte bonheur aux épouses délaissées. Adieu, mon petit Fi, Fi, Figaro. Rêve à notre affaire.

FIGARO

Pour m'ouvrir l'esprit, donne un petit baiser.

SUZANNE

A mon amant aujourd'hui? Je t'en souhaite! Et 10 qu'en dirait demain mon mari? (*Figaro l'embrasse.*)

SUZANNE

Hé bien! hé bien!

FIGARO

C'est que tu n'as pas d'idée de mon amour.

SUZANNE, *se défripant*

Quand cesserez-vous, importun, de m'en parler du matin au soir?

FIGARO, *mystérieusement*

15 Quand je pourrai te le prouver du soir jusqu'au matin. (*On sonne une seconde fois.*)

SUZANNE, *de loin, les doigts unis sur sa bouche*

Voilà votre baiser, Monsieur; je n'ai plus rien à vous.

FIGARO *court après elle*

Oh! mais ce n'est pas ainsi que vous l'avez reçu.

Scène II

FIGARO, *seul*

La charmante fille! toujours riante, verdissante, pleine de gaieté, d'esprit, d'amour et de délices! mais sage!... (*Il marche vivement en se frottant les mains.*) Ah, Monseigneur! mon cher Monseigneur! 5 vous voulez m'en donner . . . à garder? Je cherchais aussi pourquoi, m'ayant nommé concierge, il m'emmène à son ambassade et m'établit courrier de dépêches. J'entends, Monsieur le comte! Trois promotions à la fois: vous, compagnon ministre; moi, 10 casse-cou politique, et Suzon, dame du lieu, l'ambassadrice de poche, et puis fouette, courrier! Pendant que je galoperais d'un côté, vous feriez faire de l'autre à ma belle un joli chemin! me crottant, m'échinant pour la gloire de votre famille; vous, daignant con- 15 courir à l'accroissement de la mienne! Quelle douce réciprocité! Mais, Monseigneur, il y a de l'abus. Faire à Londres, en même temps, les affaires de votre maître et celles de votre valet! représenter à la fois le roi et moi dans une cour étrangère, c'est trop 20 de moitié, c'est trop. Pour toi, Bazile! fripon mon cadet! je veux t'apprendre à clocher devant les boiteux; je veux . . . Non, dissimulons avec eux pour les enferrer l'un par l'autre. Attention sur la jour-

née, Monsieur Figaro! D'abord, avancer l'heure de
votre petite fête, pour épouser plus sûrement;
écarter une Marceline, qui de vous est friande en
diable; empocher l'or et les présents; donner le
5 change aux petites passions de Monsieur le comte;
étriller rondement Monsieur du Bazile, et...

Scène III

MARCELINE, BARTHOLO, FIGARO

FIGARO *s'interrompt*

... Héééé! voilà le gros docteur, la fête sera com-
plète. Hé! bonjour, cher docteur de mon cœur.
Est-ce ma noce avec Suzon qui vous attire au
10 château?

BARTHOLO, *avec dédain*

Ah! mon cher monsieur, point du tout.

FIGARO

Cela serait bien généreux!

BARTHOLO

Certainement, et par trop sot.

FIGARO

Moi qui eus le malheur de troubler la vôtre!

BARTHOLO

15 Avez-vous autre chose à nous dire?

FIGARO

On n'aura pas pris soin de votre mule!

BARTHOLO, *en colère*

Bavard enragé ! laissez-nous.

FIGARO

Vous vous fâchez, Docteur ? les gens de votre état sont bien durs ! pas plus de pitié des pauvres animaux... en vérité... que si c'étaient des hommes ! Adieu, Marceline. Avez-vous toujours envie de 5 plaider contre moi ?

Pour n'aimer pas, faut-il qu'on se haïsse ?

Je m'en rapporte au docteur.

BARTHOLO

Qu'est-ce que c'est ?

FIGARO

Elle vous le contera de reste. (*Il sort.*)

SCÈNE IV

MARCELINE, BARTHOLO

BARTHOLO *le regarde aller*

Ce drôle est toujours le même ! et, à moins qu'on 10 ne l'écorche vif, je prédis qu'il mourra dans la peau du plus fier insolent ...

MARCELINE *le retourne*

Enfin, vous voilà donc, éternel docteur ! toujours si grave et compassé qu'on pourrait mourir en attendant vos secours, comme on s'est marié jadis malgré 15 vos précautions.

BARTHOLO

Toujours amère et provocante! Hé bien, qui rend donc ma présence au château si nécessaire? Monsieur le comte a-t-il eu quelque accident?

MARCELINE

Non, Docteur.

BARTHOLO

5   La Rosine, sa trompeuse comtesse, est-elle incommodée, Dieu merci?

MARCELINE

Elle languit.

BARTHOLO

Et de quoi?

MARCELINE

Son mari la néglige.

BARTHOLO, *avec joie*

10   Ah! le digne époux qui me venge!

MARCELINE

On ne sait comment définir le Comte: il est jaloux et libertin.

BARTHOLO

Libertin par ennui, jaloux par vanité; cela va sans dire.

MARCELINE

15   Aujourd'hui, par exemple, il marie notre Suzanne à son Figaro, qu'il comble en faveur de cette union...

BARTHOLO

Que Son Excellence a rendue nécessaire!

MARCELINE

Pas tout à fait, mais dont Son Excellence voudrait égayer en secret l'événement avec l'épousée...

BARTHOLO

De monsieur Figaro? c'est un marché qu'on peut
conclure avec lui.

MARCELINE

Bazile assure que non.   5

BARTHOLO

Cet autre maraud loge ici? C'est une caverne!
Hé! qu'y fait-il?

MARCELINE

Tout le mal dont il est capable. Mais le pis que
j'y trouve est cette ennuyeuse passion qu'il a pour
moi depuis si longtemps.   10

BARTHOLO

Je me serais débarrassé vingt fois de sa poursuite.

MARCELINE

De quelle manière?

BARTHOLO

En l'épousant.

MARCELINE

Railleur fade et cruel, que ne vous débarrassez-
vous de la mienne à ce prix? Ne le devez-vous pas? 15
Où est le souvenir de vos engagements? Qu'est devenu celui de notre petit Emmanuel, ce fruit d'un
amour oublié qui devait nous conduire à des noces?

BARTHOLO, *ôtant son chapeau*

Est-ce pour écouter ces sornettes que vous m'avez fait venir de Séville? Et cet accès d'hymen qui vous reprend si vif...

MARCELINE

Eh bien! n'en parlons plus. Mais, si rien n'a pu
5 vous porter à la justice de m'épouser, aidez-moi donc du moins à en épouser un autre.

BARTHOLO

Ah! volontiers; parlons. Mais quel mortel abandonné du Ciel et des femmes...?

MARCELINE

Eh! qui pourrait-ce être, Docteur, sinon le beau,
10 le gai, l'aimable Figaro?

BARTHOLO

Ce fripon-là?

MARCELINE

Jamais fâché, toujours en belle humeur, donnant le présent à la joie, et s'inquiétant de l'avenir tout aussi peu que du passé; sémillant, généreux! géné-
15 reux...

BARTHOLO

Comme un voleur.

MARCELINE

Comme un seigneur. Charmant, enfin; mais c'est le plus grand monstre!

BARTHOLO

Et sa Suzanne?

MARCELINE

Elle ne l'aurait pas, la rusée, si vous vouliez m'aider, mon petit docteur, à faire valoir un engagement que j'ai de lui.

BARTHOLO

Le jour de son mariage?

MARCELINE

On en rompt de plus avancés, et si je ne craignais 5 d'éventer un petit secret des femmes!...

BARTHOLO

En ont-elles pour le médecin du corps?

MARCELINE

Ah! vous savez que je n'en ai pas pour vous! Mon sexe est ardent, mais timide: un certain charme a beau nous attirer vers le plaisir, la femme la plus 10 aventurée sent en elle une voix qui lui dit: «Sois belle si tu peux, sage si tu veux, mais sois considérée, il le faut.» Or, puisqu'il faut être au moins considérée, que toute femme en sent l'importance, effrayons d'abord la Suzanne sur la divulgation des 15 offres qu'on lui fait.

BARTHOLO

Où cela mènera-t-il?

MARCELINE

Que, la honte la prenant au collet, elle continuera de refuser le Comte, lequel, pour se venger, appuiera l'opposition que j'ai faite à son mariage; alors le 20 mien devient certain.

BARTHOLO

Elle a raison. Parbleu! c'est un bon tour que de faire épouser ma vieille gouvernante au coquin qui fit enlever ma jeune maîtresse.

MARCELINE, *vite*

Et qui croit ajouter à ses plaisirs en trompant 5 mes espérances.

BARTHOLO, *vite*

Et qui m'a volé, dans le temps, cent écus que j'ai sur le cœur.

MARCELINE

Ah! quelle volupté!

BARTHOLO

De punir un scélérat...

MARCELINE

10   De l'épouser, Docteur, de l'épouser!

SCÈNE V

MARCELINE, BARTHOLO, SUZANNE

SUZANNE, *un bonnet de femme avec un large ruban
dans la main, une robe de femme sur le bras*
L'épouser! l'épouser! qui donc? mon Figaro?

MARCELINE, *aigrement*
Pourquoi non? Vous l'épousez bien!

BARTHOLO, *riant*
Le bon argument de femme en colère! Nous par-

lions, belle Suzon, du bonheur qu'il aura de vous
posséder.

MARCELINE

Sans compter Monseigneur, dont on ne parle pas.

SUZANNE, *une révérence*

Votre servante, Madame; il y a toujours quelque
chose d'amer dans vos propos.   5

MARCELINE, *une révérence*

Bien la vôtre, Madame; où donc est l'amertume?
N'est-il pas juste qu'un libéral seigneur partage un
peu la joie qu'il procure à ses gens?

SUZANNE

Qu'il procure?

MARCELINE

Oui, Madame.   10

SUZANNE

Heureusement, la jalousie de Madame est aussi
connue que ses droits sur Figaro sont légers.

MARCELINE

On eût pu les rendre plus forts en les cimentant à
la façon de Madame.

SUZANNE

Oh? cette façon, Madame, est celle des dames 15
savantes.

MARCELINE

Et l'enfant ne l'est pas du tout ! Innocente comme
un vieux juge!

BARTHOLO, *attirant Marceline*

Adieu, jolie fiancée de notre Figaro.

MARCELINE, *une révérence*

L'accordée secrète de Monseigneur.

SUZANNE, *une révérence*

Qui vous estime beaucoup, Madame.

MARCELINE, *une révérence*

Me fera-t-elle aussi l'honneur de me chérir un
5 peu, Madame?

SUZANNE, *une révérence*

A cet égard, Madame n'a rien à désirer.

MARCELINE, *une révérence*

C'est une si jolie personne que Madame!

SUZANNE, *une révérence*

Eh mais! assez pour désoler Madame.

MARCELINE, *une révérence*

Surtout bien respectable!

SUZANNE, *une révérence*

10   C'est aux duègnes à l'être.

MARCELINE, *outrée*

Aux duègnes! aux duègnes!

BARTHOLO, *l'arrêtant*

Marceline!

MARCELINE

Allons, Docteur, car je n'y tiendrais pas.   Bonjour,
Madame.   (*Une révérence.*)

Scène VI

SUZANNE, *seule*

Allez, Madame! allez, pédante! je crains aussi peu
vos efforts que je méprise vos outrages. — Voyez
cette vieille sibylle! parce qu'elle a fait quelques
études et tourmenté la jeunesse de Madame, elle
veut tout dominer au château. (*Elle jette la robe* 5
qu'elle tient sur une chaise.) Je ne sais plus ce que
je venais prendre.

Scène VII

SUZANNE, CHÉRUBIN

CHÉRUBIN, *accourant*

Ah! Suzon, depuis deux heures j'épie le moment
de te trouver seule. Hélas! tu te maries, et moi je
vais partir. 10

SUZANNE

Comment mon mariage éloigne-t-il du château le
premier page de Monseigneur?

CHÉRUBIN, *piteusement.*

Suzanne, il me renvoie.

SUZANNE *le contrefait*

Chérubin, quelque sottise!

CHÉRUBIN

Il m'a trouvé hier au soir chez ta cousine Fan- 15
chette, à qui je faisais répéter son petit rôle d'in-

nocente pour la fête de ce soir; il s'est mis dans une
fureur en me voyant! «*Sortez*, m'a-t-il dit, *petit*...»
Je n'ose pas prononcer devant une femme le gros
mot qu'il a dit: «*Sortez, et demain vous ne coucherez*
5 *pas au château.*» Si Madame, si ma belle marraine
ne parvient pas à l'apaiser, c'en est fait, Suzon, je
suis à jamais privé du bonheur de te voir.

SUZANNE

De me voir! moi? c'est mon tour! Ce n'est donc
plus pour ma maîtresse que vous soupirez en secret?

CHÉRUBIN

10 Ah! Suzon, qu'elle est noble et belle! mais qu'elle
est imposante!

SUZANNE

C'est-à-dire que je ne le suis pas, et qu'on peut
oser avec moi...

CHÉRUBIN

Tu sais trop bien, méchante, que je n'ose pas oser.
15 Mais que tu es heureuse! à tous moments la voir,
lui parler, l'habiller le matin et la déshabiller le soir,
épingle à épingle... Ah! Suzon, je donnerais...
Qu'est-ce que tu tiens donc là?

SUZANNE, *raillant*

Hélas! l'heureux bonnet et le fortuné ruban qui
20 renferment la nuit les cheveux de cette belle marraine...

CHÉRUBIN, *vivement*

Son ruban de nuit! donne-le moi, mon cœur.

SUZANNE, *le retirant*

Eh! que non pas! — *Son cœur!* Comme il est fami-
lier donc! Si ce n'était pas un morveux sans conséquence... (*Chérubin arrache le ruban.*) Ah! le
ruban !

CHÉRUBIN *tourne autour du grand fauteuil*

Tu diras qu'il est égaré, gâté, qu'il est perdu; tu 5
diras tout ce que tu voudras.

SUZANNE *tourne après lui*

Oh! dans trois ou quatre ans, je prédis que vous
serez le plus grand petit vaurien!... Rendez-vous
le ruban? (*Elle veut le reprendre.*)

CHÉRUBIN *tire une romance de sa poche*

Laisse! ah! laisse-le-moi, Suzon; je te donnerai 10
ma romance, et, pendant que le souvenir de ta
belle maîtresse attristera tous mes moments, le tien
y versera le seul rayon de joie qui puisse encore
amuser mon cœur.

SUZANNE *arrache la romance*

Amuser votre cœur, petit scélérat! Vous croyez 15
parler à votre Fanchette. On vous surprend chez
elle, et vous soupirez pour Madame; et vous m'en
contez à moi par-dessus le marché!

CHÉRUBIN, *exalté*

Cela est vrai, d'honneur! je ne sais plus ce que
je suis, mais depuis quelque temps je sens ma poi- 20
trine agitée; mon cœur palpite au seul aspect d'une
femme; les mots *amour* et *volupté* le font tressaillir

et le troublent; enfin, le besoin de dire à quelqu'un:
Je vous aime, est devenu pour moi si pressant que
je le dis tout seul, en courant dans le parc, à ta
maîtresse, à toi, aux arbres, aux nuages, au vent qui
5 les emporte avec mes paroles perdues. — Hier, je
rencontrai Marceline...

SUZANNE, riant

Ah! ah! ah! ah!

CHÉRUBIN

Pourquoi non? Elle est femme! elle est fille! Une
fille! une femme! Ah! que ces noms sont doux! qu'ils
10 sont intéressants!

SUZANNE

Il devient fou!

CHÉRUBIN

Fanchette est douce, elle m'écoute au moins;
tu ne l'es pas, toi!

SUZANNE

C'est bien dommage! Écoutez donc Monsieur.
15 (*Elle veut arracher le ruban.*)

CHÉRUBIN tourne en fuyant

Ah ouiche! on ne l'aura, vois-tu, qu'avec ma vie.
Mais, si tu n'est pas contente du prix, j'y joindrai
mille baisers.

(Il lui donne chasse à son tour.)

SUZANNE tourne en fuyant

Mille soufflets, si vous approchez. Je vais m'en
20 plaindre à ma maîtresse, et, loin de supplier pour

vous, je dirai moi-même à Monseigneur: «C'est bien
fait, Monseigneur; chassez-nous ce petit voleur,
renvoyez à ses parents un petit mauvais sujet qui
se donne les airs d'aimer Madame et qui veut toujours m'embrasser par contre-coup.»

CHÉRUBIN *voit le Comte entrer; il se jette
derrière le fauteuil avec effroi*

Je suis perdu!

SUZANNE

Quelle frayeur!

Scène VIII

SUZANNE, LE COMTE, CHÉRUBIN, *caché*

SUZANNE *aperçoit le Comte*

Ah! (*Elle s'approche du fauteuil pour masquer
Chérubin.*)

LE COMTE *s'avance*

Tu es émue, Suzon! tu parlais seule, et ton petit
cœur paraît dans une agitation... bien pardonnable,
au reste, un jour comme celui-ci.

SUZANNE, *troublée*

Monseigneur, que me voulez-vous? Si l'on vous
trouvait avec moi...

LE COMTE

Je serais désolé qu'on m'y surprît; mais tu sais
tout l'intérêt que je prends à toi. Bazile ne t'a pas
laissé ignorer mon amour. Je n'ai qu'un instant

pour t'expliquer mes vues; écoute. (*Il s'assied dans le fauteuil.*)

SUZANNE, *vivement*

Je n'écoute rien.

LE COMTE *lui prend la main*

Un seul mot. Tu sais que le roi m'a nommé son
5 ambassadeur à Londres. J'emmène avec moi Figaro;
je lui donne un excellent poste; et, comme le devoir
d'une femme est de suivre son mari...

SUZANNE

Ah! si j'osais parler!

LE COMTE *la rapproche de lui*

Parle, parle, ma chère; use aujourd'hui d'un droit
10 que tu prends sur moi pour la vie.

SUZANNE, *effrayée*

Je n'en veux point, Monseigneur, je n'en veux
point. Quittez-moi, je vous prie.

LE COMTE

Mais dis auparavant.

SUZANNE, *en colère*

Je ne sais plus ce que je disais.

LE COMTE

15 Sur le devoir des femmes.

SUZANNE

Eh bien! lorsque Monseigneur enleva la sienne de
chez le docteur, et qu'il l'épousa par amour; lors-

qu'il abolit pour elle un certain affreux droit du
seigneur...

LE COMTE, *gaiement*

Qui faisait bien de la peine aux filles! Ah! Suzette!
ce droit charmant! Si tu venais en jaser sur la brune
au jardin, je mettrais un tel prix à cette légère fa-   5
veur...

BAZILE *parle en dehors*

Il n'est pas chez lui, Monseigneur.

LE COMTE *se lève*

Quelle est cette voix?

SUZANNE

Que je suis malheureuse!

LE COMTE

Sors, pour qu'on n'entre pas.   10

SUZANNE, *troublée*

Que je vous laisse ici?

BAZILE *crie en dehors*

Monseigneur était chez Madame, il en est sorti:
je vais voir.

LE COMTE

Et pas un lieu pour se cacher! ah! derrière ce
fauteuil... assez mal; mais renvoie-le bien vite.   15
(*Suzanne lui barre le chemin, il la pousse doucement,
    elle recule, et se met ainsi entre lui et le petit page;
    mais, pendant que le Comte s'abaisse et prend sa
    place, Chérubin tourne et se jette effrayé sur le fau-*

*teuil à genoux, et s'y blottit. Suzanne prend la robe
qu'elle apportait, en couvre le page et se met devant le
fauteuil.)*

Scène IX

LE COMTE et CHÉRUBIN, *cachés;*
SUZANNE, BAZILE

BAZILE

N'auriez-vous pas vu Monseigneur, Mademoiselle?

SUZANNE, *brusquement*

5 Hé! pourquoi l'aurais-je vu? Laissez-moi.

BAZILE *s'approche*

Si vous étiez plus raisonnable, il n'y aurait rien
d'étonnant à ma question. C'est Figaro qui le
cherche.

SUZANNE

Il cherche donc l'homme qui lui veut le plus de
10 mal après vous.

LE COMTE, *à part*

Voyons un peu comme il me sert.

BAZILE

Désirer du bien à une femme, est-ce vouloir du
mal à son mari?

SUZANNE

Non, dans vos affreux principes, agent de cor-
15 ruption.

BAZILE

Que vous demande-t-on ici que vous n'alliez prodiguer à un autre? Grâce à la douce cérémonie, ce qu'on vous défendait hier, on vous le prescrira demain.

SUZANNE

Indigne! 5

BAZILE

De toutes les choses sérieuses, le mariage étant la plus bouffonne, j'avais pensé...

SUZANNE, *outrée*

Des horreurs. Qui vous permet d'entrer ici?

BAZILE

Là, là, mauvaise! Dieu vous apaise! il n'en sera que ce que vous voulez; mais ne croyez non plus 10 que je regarde monsieur Figaro comme l'obstacle qui nuit à Monseigneur; et, sans le petit page...

SUZANNE, *timidement*

Don Chérubin?

BAZILE *la contrefait*

Cherubino di amore, qui tourne autour de vous sans cesse, et qui, ce matin encore, rôdait ici pour y 15 entrer quand je vous ai quittée; dites que cela n'est pas vrai?

SUZANNE

Quelle imposture! Allez-vous-en, méchant homme!

BAZILE

On est un méchant homme parce qu'on y voit

clair. N'est-ce pas pour vous aussi cette romance dont il fait mystère?

SUZANNE, *en colère*

Ah! oui, pour moi!...

BAZILE

A moins qu'il ne l'ait composée pour Madame! En effet, quand il sert à table, on dit qu'il la regarde avec des yeux!... Mais, peste! qu'il ne s'y joue pas; Monseigneur est *brutal* sur l'article.

SUZANNE, *outrée*

Et vous bien scélérat d'aller semant de pareils bruits pour perdre un malheureux enfant tombé dans la disgrâce de son maître.

BAZILE

L'ai-je inventé? Je le dis parce que tout le monde en parle.

LE COMTE *se lève*

Comment, tout le monde en parle!

SUZANNE [1]

Ah! Ciel!

BAZILE

Ha! ha!

LE COMTE

Courez, Bazile, et qu'on le chasse.

BAZILE

Ah! que je suis fâché d'être entré!

---

[1] Chérubin dans le fauteuil, le Comte, Suzanne, Bazile.

SUZANNE, *troublée*

Mon Dieu! mon Dieu!

LE COMTE, *à Bazile*

Elle est saisie.   Asseyons-la dans ce fauteuil.

SUZANNE *le repousse vivement*

Je ne veux pas m'asseoir.   Entrer ainsi librément,
c'est indigne!

LE COMTE

Nous sommes deux avec toi, ma chère.   Il n'y a 5
plus le moindre danger!

BAZILE

Moi, je suis désolé de m'être égayé sur le page,
puisque vous l'entendiez; je n'en usais ainsi que
pour pénétrer ses sentiments, car au fond...

LE COMTE

Cinquante pistoles, un cheval, et qu'on le renvoie 10
à ses parents.

BAZILE

Monseigneur, pour un badinage?

LE COMTE

Un petit libertin que j'ai surpris encore hier avec
la fille du jardinier.

BAZILE

Avec Fanchette?   15

LE COMTE

Et dans sa chambre.

SUZANNE, *outrée*

Où Monseigneur avait sans doute affaire aussi!

LE COMTE, *gaiement*

J'en aime assez la remarque.

BAZILE

Elle est d'un bon augure.

LE COMTE, *gaiement*

Mais non; j'allais chercher ton oncle Antonio,
mon ivrogne de jardinier, pour lui donner des ordres.
5 Je frappe, on est longtemps à m'ouvrir; ta cousine a
l'air empêtrée, je prends un soupçon, je lui parle, et,
tout en causant, j'examine. Il y avait derrière la
porte une espèce de rideau, de porte-manteau, de je
ne sais pas quoi, qui couvrait des hardes; sans faire
10 semblant de rien, je vais doucement, doucement,
lever ce rideau (*pour imiter le geste, il lève la robe du
fauteuil*), et je vois... (*Il aperçoit le page.*) Ah!...

BAZILE [1]

Ha! ha!

LE COMTE

Ce tour-ci vaut l'autre.

BAZILE

15 Encore mieux.

LE COMTE, *à Suzanne*

A merveille, Mademoiselle: à peine fiancée, vous
faites de ces apprêts? C'était pour recevoir mon
page que vous désiriez d'être seule? Et vous, Monsieur, qui ne changez point de conduite, il vous
20 manquait de vous adresser, sans respect pour votre

---

[1] Suzanne, Chérubin dans le fauteuil, le Comte, Bazile.

marraine, à sa première camériste, à la femme de
votre ami! Mais je ne souffrirai pas que Figaro,
qu'un homme que j'estime et que j'aime, soit victime
d'une pareille tromperie. Était-il avec vous, Bazile?

SUZANNE, *outrée*

Il n'y a tromperie ni victime; il était là lorsque 5
vous me parliez.

LE COMTE, *emporté*

Puisses-tu mentir en le disant! Son plus cruel
ennemi n'oserait lui souhaiter ce malheur.

SUZANNE

Il me priait d'engager Madame à vous demander
sa grâce. Votre arrivée l'a si fort troublé qu'il s'est 10
masqué de ce fauteuil.

LE COMTE, *en colère*

Ruse d'enfer! je m'y suis assis en entrant.

CHÉRUBIN

Hélas! Monseigneur, j'étais tremblant derrière.

LE COMTE

Autre fourberie! Je viens de m'y placer moi-
même. 15

CHÉRUBIN

Pardon, mais c'est alors que je me suis blotti
dedans.

LE COMTE, *plus outré*

C'est donc une couleuvre, que ce petit... ser-
pent-là! il nous écoutait!

CHÉRUBIN

Au contraire, Monseigneur, j'ai fait ce que j'ai pu pour ne rien entendre.

LE COMTE

O perfidie! (*A Suzanne.*)   Tu n'épouseras pas Figaro.

BAZILE

5 Contenez-vous, on vient.

LE COMTE, *tirant Chérubin du fauteuil et le mettant sur ses pieds*

Il resterait là devant toute la terre!

Scène X

CHÉRUBIN, SUZANNE, FIGARO, LA COMTESSE, LE COMTE, FANCHETTE, BAZILE

Beaucoup de valets, paysannes, paysans vêtus de blanc.

FIGARO, *tenant une toque de femme garnie de plumes blanches et de rubans blancs, parle à la Comtesse*

Il n'y a que vous, Madame, qui puissiez nous obtenir cette faveur.

LA COMTESSE

Vous les voyez, Monsieur le comte, ils me sup-
10 posent un crédit que je n'ai point; mais, comme leur demande n'est pas déraisonnable...

LE COMTE, *embarrassé*

Il faudrait qu'elle le fût beaucoup...

FIGARO, *bas à Suzanne*

Soutiens bien mes efforts.

SUZANNE, *bas à Figaro*

Qui ne mèneront à rien.

FIGARO, *bas*

Va toujours.

LE COMTE, *à Figaro*

Que voulez-vous?

FIGARO

Monseigneur, vos vassaux, touchés de l'abolition 5
d'un certain droit fâcheux, que votre amour pour
Madame...

LE COMTE

Hé bien, ce droit n'existe plus; que veux-tu dire?

FIGARO, *malignement*

Qu'il est bien temps que la vertu d'un si bon maître éclate; elle m'est d'un tel avantage aujourd'hui 10
que je désire être le premier à la célébrer à mes
noces.

LE COMTE, *plus embarrassé*

Tu te moques, ami! L'abolition d'un droit honteux n'est que l'acquit d'une dette envers l'honnê-
teté. Un Espagnol peut vouloir conquérir la beauté 15
par des soins; mais en exiger le premier, le plus
doux emploi, comme une servile redevance, ah!
c'est la tyrannie d'un Vandale, et non le droit avoué
d'un noble Castillan.

FIGARO, *tenant Suzanne par la main*

Permettez donc que cette jeune créature, de qui votre sagesse a préservé l'honneur, reçoive de votre main publiquement la toque virginale, ornée de plumes et de rubans blancs, symbole de la pureté 5 de vos intentions; adoptez-en la cérémonie pour tous les mariages, et qu'un quatrain chanté en chœur rappelle à jamais le souvenir...

LE COMTE, *embarrassé*

Si je ne savais pas qu'amoureux, poète et musicien sont trois titres d'indulgence pour toutes les 10 folies...

FIGARO

Joignez-vous à moi, mes amis.

TOUS *ensemble*

Monseigneur ! Monseigneur !

SUZANNE, *au Comte*

Pourquoi fuir un éloge que vous méritez si bien?

LE COMTE, *à part*

La perfide!

FIGARO

15 Regardez-la donc, Monseigneur; jamais plus jolie fiancée ne montrera mieux la grandeur de votre sacrifice.

SUZANNE

Laisse là ma figure et ne vantons que sa vertu.

LE COMTE, *à part*

C'est un jeu que tout ceci.

LA COMTESSE

Je me joins à eux, Monsieur le comte, et cette
cérémonie me sera toujours chère, puisqu'elle doit
son motif à l'amour charmant que vous aviez pour
moi.

LE COMTE

Que j'ai toujours, Madame, et c'est à ce titre que 5
je me rends.

TOUS *ensemble*

Vivat!

LE COMTE, *à part*

Je suis pris. (*Haut.*) Pour que la cérémonie eût
un peu plus d'éclat, je voudrais seulement qu'on la
remît à tantôt. (*A part.*) Faisons vite chercher 10
Marceline.

FIGARO, *à Chérubin*

Eh bien, espiègle! vous n'applaudissez pas?

SUZANNE

Il est au désespoir; Monseigneur le renvoie.

LA COMTESSE

Ah! Monsieur, je demande sa grâce.

LE COMTE

Il ne la mérite point.   15

LA COMTESSE

Hélas! il est si jeune!

LE COMTE

Pas tant que vous le croyez.

CHÉRUBIN, *tremblant*

Pardonner généreusement n'est pas le droit du seigneur auquel vous avez renoncé en épousant Madame.

LA COMTESSE

Il n'a renoncé qu'à celui qui vous affligeait tous.

SUZANNE

5   Si Monseigneur avait cédé le droit de pardonner, ce serait sûrement le premier qu'il voudrait racheter en secret.

LE COMTE, *embarrassé*

Sans doute.

LA COMTESSE

Et pourquoi le racheter?

CHÉRUBIN, *au Comte*

10   Je fus léger dans ma conduite, il est vrai, Monseigneur, mais jamais la moindre indiscrétion dans mes paroles...

LE COMTE, *embarrassé*

Eh bien, c'est assez...

FIGARO

Qu'entend-il?

LE COMTE, *vivement*

15   C'est assez, c'est assez; tout le monde exige son pardon, je l'accorde, et j'irai plus loin: je lui donne une compagnie dans ma légion.

TOUS *ensemble*

Vivat!

LE COMTE

Mais c'est à condition qu'il partira sur-le-champ
pour joindre en Catalogne.

FIGARO

Ah! Monseigneur, demain.

LE COMTE *insiste*

Je le veux.

CHÉRUBIN

J'obéis.   5

LE COMTE

Saluez votre marraine, et demandez sa protection.
(*Chérubin met un genou en terre devant la Comtesse,
et ne peut parler.*)

LA COMTESSE, *émue*

Puisqu'on ne peut vous garder seulement aujourd'hui, partez, jeune homme. Un nouvel état 10
vous appelle; allez le remplir dignement. Honorez
votre bienfaiteur. Souvenez-vous de cette maison
où votre jeunesse a trouvé tant d'indulgence. Soyez
soumis, honnête et brave; nous prendrons part à
vos succès. (*Chérubin se relève et retourne à sa* 15
place.)

LE COMTE

Vous êtes bien émue, Madame!

LA COMTESSE

Je ne m'en défends pas. Qui sait le sort d'un enfant jeté dans une carrière aussi dangereuse! Il est
allié de mes parents, et, de plus, il est mon filleul. 20

LE COMTE, *à part*

Je vois que Bazile avait raison. (*Haut.*) Jeune homme, embrassez Suzanne... pour la dernière fois.

FIGARO

Pourquoi cela, Monseigneur? Il viendra passer ses hivers. Baise-moi donc aussi, Capitaine. (*Il l'embrasse.*) Adieu, mon petit Chérubin. Tu vas mener un train de vie bien différent, mon enfant. Dame! tu ne rôderas plus tout le jour au quartier des femmes; plus d'échaudés, de goûters à la crème; plus de main chaude ou de colin-maillard. De bons soldats, morbleu! basanés, mal vêtus; un grand fusil bien lourd; tourne à droite, tourne à gauche, en avant, marche à la gloire, et ne va pas broncher en chemin; à moins qu'un bon coup de feu!...

SUZANNE

Fi donc, l'horreur!

LA COMTESSE

Quel pronostic!

LE COMTE

Où donc est Marceline? Il est bien singulier qu'elle ne soit pas des vôtres!

FANCHETTE

Monseigneur, elle a pris le chemin du bourg par le petit sentier de la ferme.

LE COMTE

Et elle en reviendra?

BAZILE

Quand il plaira à Dieu.

FIGARO

S'il lui plaisait qu'il ne lui plût jamais !...

FANCHETTE

Monsieur le docteur lui donnait le bras.

LE COMTE, *vivement*

Le docteur est ici?

BAZILE

Elle s'en est d'abord emparée...   5

LE COMTE, *à part*

Il ne pouvait venir plus à propos.

FANCHETTE

Elle avait l'air bien échauffée; elle parlait tout
haut en marchant, puis elle s'arrêtait, et faisait
comme ça, de grands bras...; et Monsieur le docteur lui faisait comme ça, de la main, en l'apaisant: 10
elle paraissait si courroucée! elle nommait mon
cousin Figaro.

LE COMTE *lui prend le menton*

Cousin... futur.

FANCHETTE, *montrant Chérubin*

Monseigneur, nous avez-vous pardonné d'hier?...

LE COMTE *interrompt*

Bonjour, bonjour, petite.   15

FIGARO

C'est son chien d'amour qui la berce; elle aurait
troublé notre fête.

LE COMTE, *à part*

Elle la troublera, je t'en réponds. (*Haut.*) Allons, Madame, entrons. Bazile, vous passerez chez moi.

SUZANNE, *à Figaro*

Tu me rejoindras, mon fils?

FIGARO, *bas à Suzanne*

5 Est-il bien enfilé?

SUZANNE, *bas*

Charmant garçon!

(*Il sortent tous.*)

Scène XI

CHÉRUBIN, FIGARO, BAZILE

(*Pendant qu'on sort, Figaro les arrête tous deux et les ramène.*)

FIGARO

Ah ça, vous autres, la cérémonie adoptée, ma fête de ce soir en est la suite; il faut bravement nous recorder: ne faisons point comme ces acteurs qui 10 ne jouent jamais si mal que le jour où la critique est le plus éveillée. Nous n'avons point de lendemain qui nous excuse, nous. Sachons bien nos rôles aujourd'hui.

BAZILE, *malignement*

Le mien est plus difficile que tu ne crois.

FIGARO, *faisant sans qu'il le voie le geste de le rosser*
Tu es loin aussi de savoir tout le succès qu'il te
vaudra.

CHÉRUBIN
Mon ami, tu oublies que je pars.

FIGARO
Et toi, tu voudrais bien rester!

CHÉRUBIN
Ah! si je le voudrais!   5

FIGARO
Il faut ruser. Point de murmure à ton départ.
Le manteau de voyage à l'épaule; arrange ouverte-
ment ta trousse, et qu'on voie ton cheval à la grille;
un temps de galop jusqu'à la ferme; reviens à pied
par les derrières. Monseigneur te croira parti; 10
tiens-toi seulement hors de sa vue; je me charge de
l'apaiser après la fête.

CHÉRUBIN
Mais Fanchette qui ne sait pas son rôle!

BAZILE
Que diable lui apprenez-vous donc depuis huit
jours que vous ne la quittez pas?   15

FIGARO
Tu n'as rien à faire aujourd'hui; donne-lui par
grâce une leçon.

BAZILE
Prenez garde, jeune homme, prenez garde! Le
père n'est pas satisfait; la fille a été souffletée; elle

n'étudie pas avec vous. Chérubin! Chérubin! vous lui causerez des chagrins! *Tant va la cruche à l'eau!*...

FIGARO

Ah! voilà notre imbécile avec ses vieux proverbes! 5 Eh bien, pédant! que dit la sagesse des nations? *Tant va la cruche à l'eau qu'à la fin...*

BAZILE

Elle s'emplit.

FIGARO, *en s'en allant*

Pas si bête pourtant, pas si bête!

FIN DU PREMIER ACTE

ACTE II

Le théâtre représente une chambre à coucher superbe, un grand lit en
alcôve, une estrade au devant. La porte pour entrer s'ouvre et se
ferme à la troisième coulisse à droite; celle d'un cabinet, à la
première coulisse à gauche. Une porte, dans le fond, va chez les
femmes. Une fenêtre s'ouvre de l'autre côté.

Scène Première

SUZANNE, LA COMTESSE, *entrent par la porte à droite*

LA COMTESSE *se jette dans une bergère*
Ferme la porte, Suzanne, et conte-moi tout dans
le plus grand détail.

SUZANNE
Je n'ai rien caché à Madame.

LA COMTESSE
Quoi! Suzon, il voulait te séduire?

SUZANNE
Oh, que non! Monseigneur n'y met pas tant de 5
façons avec sa servante; il voulait m'acheter.

LA COMTESSE
Et le petit page était présent?

SUZANNE
C'est-à-dire, caché derrière le grand fauteuil. Il
venait me prier de vous demander sa grâce.

LA COMTESSE

Hé! pourquoi ne pas s'adresser à moi-même?
est-ce que je l'aurais refusé, Suzon?

SUZANNE

C'est ce que j'ai dit; mais ses regrets de partir,
et surtout de quitter Madame! *Ah! Suzon, qu'elle*
5 *est noble et belle! mais qu'elle est imposante!*

LA COMTESSE

Est-ce que j'ai cet air-là, Suzon? moi qui l'ai
toujours protégé.

SUZANNE

Puis il a vu votre ruban de nuit que je tenais, il
s'est jeté dessus...

LA COMTESSE, *souriant*

10 Mon ruban?... Quelle enfance!

SUZANNE

J'ai voulu le lui ôter; Madame, c'était un lion;
ses yeux brillaient... «Tu ne l'auras qu'avec ma
vie», disait-il en forçant sa petite voix douce et grêle.

LA COMTESSE, *rêvant*

Eh bien, Suzon?

SUZANNE

15 Eh bien, Madame, est-ce qu'on peut faire finir
ce petit démon-là? Ma marraine par-ci; je voudrais bien par l'autre; et, parce qu'il n'oserait seulement baiser la robe de Madame, il voudrait toujours
m'embrasser, moi.

LA COMTESSE, *rêvant*

Laissons... laissons ces folies... Enfin, ma pauvre Suzanne, mon époux a fini par te dire?

SUZANNE

Que si je ne voulais pas l'entendre, il allait protéger Marceline.

LA COMTESSE *se lève et se promène en se servant fortement de l'éventail*

Il ne m'aime plus du tout. 5

SUZANNE

Pourquoi tant de jalousie?

LA COMTESSE

Comme tous les maris, ma chère! uniquement par orgueil. Ah! je l'ai trop aimé! je l'ai lassé de mes tendresses et fatigué de mon amour: voilà mon seul tort avec lui; mais je n'entends pas que cet honnête 10 aveu te nuise, et tu épouseras Figaro. Lui seul peut nous y aider: viendra-t-il?

SUZANNE

Dès qu'il verra partir la chasse.

LA COMTESSE, *se servant de l'éventail*

Ouvre un peu la croisée sur le jardin. Il fait une chaleur ici!... 15

SUZANNE

C'est que Madame parle et marche avec action. (*Elle va ouvrir la croisée du fond.*)

LA COMTESSE, *rêvant longtemps*

Sans cette constance à me fuir... Les hommes sont bien coupables!

SUZANNE *crie de la fenêtre*

Ah! voilà Monseigneur qui traverse à cheval le grand potager, suivi de Pédrille, avec deux, trois, 5 quatre lévriers.

LA COMTESSE

Nous avons du temps devant nous. (*Elle s'assied.*) On frappe, Suzon.

SUZANNE *court ouvrir en chantant*

Ah, c'est mon Figaro! ah, c'est mon Figaro!

SCÈNE II

FIGARO, SUZANNE, LA COMTESSE, *assise*

SUZANNE

Mon cher ami, viens donc! Madame est dans une 10 impatience!...

FIGARO

Et toi, ma petite Suzanne? Madame n'en doit prendre aucune. Au fait, de quoi s'agit-il? d'une misère. Monsieur le comte trouve notre jeune femme aimable, il voudrait en faire sa maîtresse, et 15 c'est bien naturel.

SUZANNE

Naturel?

FIGARO

Puis il m'a nommé courrier de dépêches, et Suzon
conseiller d'ambassade. Il n'y a pas là d'étourderie.

SUZANNE

Tu finiras?

FIGARO

Et parce que Suzanne, ma fiancée, n'accepte pas
le diplôme, il va favoriser les vues de Marceline; 5
quoi de plus simple encore? Se venger de ceux qui
nuisent à nos projets en renversant les leurs, c'est
ce que chacun fait, c'est ce que nous allons faire
nous-mêmes. Eh bien, voilà tout pourtant.

LA COMTESSE

Pouvez-vous, Figaro, traiter si légèrement un 10
dessein qui nous coûte à tous le bonheur?

FIGARO

Qui dit cela, Madame?

SUZANNE

Au lieu de t'affliger de nos chagrins…

FIGARO

N'est-ce pas assez que je m'en occupe? Or, pour
agir aussi méthodiquement que lui, tempérons d'a- 15
bord son ardeur de nos possessions en l'inquiétant
sur les siennes.

LA COMTESSE

C'est bien dit; mais comment?

FIGARO

C'est déjà fait, Madame; un faux avis donné sur vous...

LA COMTESSE

Sur moi! la tête vous tourne!

FIGARO

Oh! c'est à lui qu'elle doit tourner.

LA COMTESSE

5 Un homme aussi jaloux!...

FIGARO

Tant mieux; pour tirer parti des gens de ce caractère, il ne faut qu'un peu leur fouetter le sang; c'est ce que les femmes entendent si bien! Puis, les tient-on fâchés tout rouge, avec un brin d'intrigue 10 on les mène où l'on veut, par le nez, dans le Guadalquivir. Je vous ai fait rendre à Bazile un billet inconnu, lequel avertit Monseigneur qu'un galant doit chercher à vous voir aujourd'hui pendant le bal.

LA COMTESSE

15 Et vous vous jouez ainsi de la vérité sur le compte d'une femme d'honneur?...

FIGARO

Il y en a peu, Madame, avec qui je l'eusse osé, crainte de rencontrer juste.

LA COMTESSE

Il faudra que je l'en remercie!

FIGARO

Mais dites-moi s'il n'est pas charmant de lui avoir
taillé ses morceaux de la journée de façon qu'il passe
à rôder, à jurer après sa dame, le temps qu'il des-
tinait à se complaire avec la nôtre! Il est déjà
tout dérouté: galopera-t-il celle-ci? surveillera-t-il 5
celle-là? Dans son trouble d'esprit, tenez, tenez,
le voilà qui court la plaine et force un lièvre qui
n'en peut mais. L'heure du mariage arrive en poste,
il n'aura pas pris de parti contre, et jamais il n'osera
s'y opposer devant Madame. 10

SUZANNE

Non; mais Marceline, le bel esprit, osera le faire,
elle.

FIGARO

Brrrr! Cela m'inquiète bien, ma foi! Tu feras
dire à Monseigneur que tu te rendras sur la brune
au jardin. 15

SUZANNE

Tu comptes sur celui-là?

FIGARO

Oh! dame! écoutez donc: les gens qui ne veulent
rien faire de rien n'avancent rien et ne sont bons à
rien. Voilà mon mot.

SUZANNE

Il est joli! 20

LA COMTESSE

Comme son idée. Vous consentiriez qu'elle s'y
rendît?

FIGARO

Point du tout. Je fais endosser un habit de Suzanne à quelqu'un: surpris par nous au rendez-
vous, le Comte pourra-t-il s'en dédire?

SUZANNE

A qui mes habits?

FIGARO

5 Chérubin.

LA COMTESSE

Il est parti.

FIGARO

Non pas pour moi. Veut-on me laisser faire?

SUZANNE

On peut s'en fier à lui pour mener une intrigue.

FIGARO

Deux, trois, quatre à la fois, bien embrouillées,
10 qui se croisent. J'étais né pour être courtisan.

SUZANNE

On dit que c'est un métier si difficile!

FIGARO

Recevoir, prendre et demander: voilà le secret
en trois mots.

LA COMTESSE

Il a tant d'assurance qu'il finit par m'en inspirer.

FIGARO

15 C'est mon dessein.

SUZANNE

Tu disais donc?...

FIGARO

Que pendant l'absence de Monseigneur je vais vous envoyer le Chérubin; coiffez-le, habillez-le, je le renferme et l'endoctrine; et puis dansez, Monseigneur. (*Il sort.*)

SCÈNE III

SUZANNE, LA COMTESSE, *assise*

LA COMTESSE, *tenant sa boîte à mouches*

Mon Dieu, Suzon, comme je suis faite!... ce jeune homme qui va venir!...

SUZANNE

Madame ne veut donc pas qu'il en réchappe?

LA COMTESSE *rêve devant sa petite glace*

Moi?... tu verras comme je vais le gronder.

SUZANNE

Faisons-lui chanter sa romance. (*Elle la met sur la Comtesse.*)

LA COMTESSE

Mais... c'est qu'en vérité mes cheveux sont dans un désordre!...

SUZANNE, *riant*

Je n'ai qu'à reprendre ces deux boucles, Madame le grondera bien mieux.

LA COMTESSE, *revenant à elle*

Qu'est-ce que vous dites donc, Mademoiselle?

Scène IV

CHÉRUBIN, *l'air honteux;* SUZANNE; LA COMTESSE, *assise*

SUZANNE

Entrez, Monsieur l'officier; on est visible.

CHÉRUBIN *avance en tremblant*

Ah! que ce nom m'afflige, Madame! il m'apprend qu'il faut quitter ces lieux... une marraine si... bonne!...

SUZANNE

5   Et si belle !

CHÉRUBIN, *avec un soupir*

Ah! oui.

SUZANNE *le contrefait*

Ah! oui. Le bon jeune homme, avec ses longues paupières hypocrites! Allons, bel oiseau bleu, chantez la romance à Madame.

LA COMTESSE *la déplie*

10   De qui... dit-on qu'elle est?

SUZANNE

Voyez la rougeur du coupable; en a-t-il un pied sur les joues?

CHÉRUBIN

Est-ce qu'il est défendu... de chérir...?

SUZANNE *lui met le poing sous le nez*
Je dirai tout, vaurien !

LA COMTESSE
Là... chante-t-il?

CHÉRUBIN
Oh! Madame, je suis si tremblant!...

SUZANNE, *en riant*
Et gnian, gnian, gnian, gnian, gnian, gnian, gnian.
Dès que Madame le veut, modeste auteur! Je vais 5
l'accompagner.

LA COMTESSE
Prends ma guitare. (*La Comtesse, assise, tient le
papier pour suivre. Suzanne est derrière son fauteuil,
et prélude en regardant la musique par-dessus sa maîtresse. Le petit page est devant elle, les yeux baissés.* 10
*Ce tableau est juste la belle estampe d'après Vanloo,
appelée* LA CONVERSATION ESPAGNOLE.[1])

ROMANCE

AIR: *Marlbrough s'en va-t-en guerre*

PREMIER COUPLET

Mon coursier hors d'haleine
(Que mon cœur, mon cœur a de peine!)
J'errais de plaine en plaine 15
Au gré du destrier.

[1] Chérubin, la Comtesse, Suzanne.

IIe COUPLET

Au gré du destrier,
Sans varlet n'écuyer;
¹ Là, près d'une fontaine,
(Que mon cœur, mon cœur a de peine!)
5 Songeant à ma marraine,
Sentais mes pleurs couler.

IIIe COUPLET

Sentais mes pleurs couler,
Prêt à me désoler;
Je gravais sur un frêne,
10 (Que mon cœur, mon cœur a de peine!)
Sa lettre sans la mienne;
Le roi vint à passer.

IVe COUPLET

Le roi vint à passer,
Ses barons, son clergier.
15 «Beau page, dit la reine,
(Que mon cœur, mon cœur a de peine!)
Qui vous met à la gêne?
Qui vous fait tant plorer?

Ve COUPLET

Qui vous fait tant plorer?
Nous faut le déclarer.
20 — Madame et Souveraine,
(Que mon cœur, mon cœur a de peine!)
J'avais une marraine
Que toujours adorai.²

¹ Au spectacle, on a commencé la romance à ce vers, en disant:
Auprès d'une fontaine.

² Ici la Comtesse arrête le page en fermant le papier. Le reste
ne se chante pas au théâtre.

VIᵉ COUPLET

Que toujours adorai;
Je sens que j'en mourrai.
— Beau page, dit la reine,
(Que mon cœur, mon cœur a de peine!)
N'est-il qu'une marraine?   5
Je vous en servirai.

VIIᵉ COUPLET

Je vous en servirai;
Mon page vous ferai,
Puis à ma jeune Hélène,
(Que mon cœur, mon cœur a de peine!)   10
Fille d'un capitaine,
Un jour vous marierai.

VIIIᵉ COUPLET

Un jour vous marierai.
— Nenni n'en faut parler;
Je veux, traînant ma chaine,   15
(Que mon cœur, mon cœur a de peine!)
Mourir de cette peine,
Mais non m'en consoler.»

LA COMTESSE

Il y a de la naïveté..., du sentiment même.

SUZANNE *va poser la guitare sur un fauteuil* [1]

Oh! pour du sentiment, c'est un jeune homme 20
qui... Ah çà, Monsieur l'officier, vous a-t-on dit que,
pour égayer la soirée, nous voulons savoir d'avance
si un de mes habits vous ira passablement?

LA COMTESSE

J'ai peur que non.

[1] Chérubin, Suzanne, la Comtesse.

SUZANNE *se mesure avec lui*

Il est de ma grandeur. Otons d'abord le manteau.
(*Elle le détache.*)

LA COMTESSE

Et si quelqu'un entrait?

SUZANNE

Est-ce que nous faisons du mal donc? Je vais
5 fermer la porte. (*Elle court.*) Mais c'est la coiffure
que je veux voir.

LA COMTESSE

Sur ma toilette, une baigneuse à moi. (*Suzanne
entre dans le cabinet dont la porte est au bord du
théâtre.*)

SCÈNE V

CHÉRUBIN, LA COMTESSE, *assise*

LA COMTESSE

10   Jusqu'à l'instant du bal, le Comte ignorera que
vous soyez au château. Nous lui dirons après que
le temps d'expédier votre brevet nous a fait naître
l'idée...

CHÉRUBIN *le lui montre*

Hélas! Madame, le voici; Bazile me l'a remis de
15 sa part.

LA COMTESSE

Déjà? L'on a craint d'y perdre une minute.

(*Elle lit.*)   Ils se sont tant pressés qu'ils ont oublié
d'y mettre son cachet.

(Elle le lui rend.)

Scène VI

CHÉRUBIN, LA COMTESSE, SUZANNE

SUZANNE *entre avec un grand bonnet*
Le cachet, à quoi?

LA COMTESSE

A son brevet.

SUZANNE

Déjà?   5

LA COMTESSE

C'est ce que je disais.   Est-ce là ma baigneuse?

SUZANNE *s'assied près de la Comtesse.*[1]
Et la plus belle de toutes.   (*Elle chante avec des
épingles dans sa bouche.*)

> Tournez-vous donc envers ici,
> Jean de Lyra, mon bel ami.   10

(*Chérubin se met à genoux.   Elle le coiffe.*)   Madame, il est charmant!

LA COMTESSE

Arrange son collet d'un air un peu plus féminin.

SUZANNE *l'arrange*

Là… Mais voyez donc ce morveux, comme il est

---

[1] Chérubin, Suzanne, la Comtesse.

joli en fille! J'en suis jalouse, moi! (*Elle lui prend le menton.*) Voulez-vous bien n'être pas joli comme ça!

LA COMTESSE

Qu'elle est folle! Il faut relever la manche, afin
5 que l'amadis prenne mieux... (*Elle la retrousse.*)
Qu'est-ce qu'il a donc au bras? Un ruban!

SUZANNE

Et un ruban à vous. Je suis bien aise que
Madame l'ait vu. Je lui avais dit que je le
dirais, déjà! Oh! si Monseigneur n'était pas
10 venu, j'aurais bien repris le ruban, car je suis
presque aussi forte que lui.

LA COMTESSE

Il y a du sang. (*Elle détache le ruban.*)

CHÉRUBIN, *honteux*

Ce matin, comptant partir, j'arrangeais la gourmette de mon cheval; il a donné de la tête, et la bos-
15 sette m'a effleuré le bras.

LA COMTESSE

On n'a jamais mis un ruban...

SUZANNE

Et surtout un ruban volé. — Voyons donc ce que
la bossette,... la courbette,... la cornette du
cheval... Je n'entends rien à tous ces noms-là. —
20 Ah! qu'il a le bras blanc! c'est comme une femme!

plus blanc que le mien! Regardez donc, Madame.
(*Elle les compare.*)

         LA COMTESSE, *d'un ton glacé*

Occupez-vous plutôt de m'avoir du taffetas
gommé, dans ma toilette.

      (*Suzanne lui pousse la tête en riant; il tombe sur*
        les deux mains. Elle entre dans le cabinet au
        bord du théâtre.)

Scène VII

CHÉRUBIN, *à genoux;* LA COMTESSE, *assise*

LA COMTESSE *reste un moment sans parler, les yeux*
sur son ruban. Chérubin la dévore de ses regards

Pour mon ruban, Monsieur,... comme c'est 5
celui dont la couleur m'agrée le plus,... j'étais fort
en colère de l'avoir perdu.

Scène VIII

CHÉRUBIN, *à genoux;* LA COMTESSE, *assise;* SUZANNE

        SUZANNE, *revenant*

Et la ligature à son bras? (*Elle remet à la Com-*
tesse du taffetas gommé et des ciseaux.)

         LA COMTESSE

En allant lui chercher tes hardes, prends le ruban 10
d'un autre bonnet.

      (*Suzanne sort par la porte du fond, en emportant*
        le manteau du Page.)

Scène IX

CHÉRUBIN, *à genoux;* LA COMTESSE, *assise*

CHÉRUBIN, *les yeux baissés*

Celui qui m'est ôté m'aurait guéri en moins de rien.

LA COMTESSE

Par quelle vertu? (*Lui montrant le taffetas.*) Ceci
vaut mieux.

CHÉRUBIN, *hésitant*

Quand un ruban... a serré la tête... ou touché
5 la peau d'une personne...

LA COMTESSE, *coupant la phrase*

...! Étrangère, il devient bon pour les blessures?
J'ignorais cette propriété. Pour l'éprouver, je garde
celui-ci qui vous a serré le bras. A la première égra-
tignure... de mes femmes, j'en ferai l'essai.

CHÉRUBIN, *pénétré*

10 Vous le gardez et moi je pars.

LA COMTESSE

Non pour toujours.

CHÉRUBIN

Je suis si malheureux!

LA COMTESSE, *émue*

Il pleure, à présent! C'est ce vilain Figaro avec son
pronostic!

CHÉRUBIN, *exalté*

15 Ah! je voudrais toucher au terme qu'il m'a prédit!

Sûr de mourir à l'instant, peut-être ma bouche
oserait...

LA COMTESSE *l'interrompt et lui essuie les yeux
avec son mouchoir*

Taisez-vous, taisez-vous, enfant! Il n'y a pas un
brin de raison dans tout ce que vous dites. (*On
frappe à la porte, elle élève la voix.*) Qui frappe ainsi 5
chez moi?

SCÈNE X

CHÉRUBIN, LA COMTESSE; LE COMTE, *en dehors*

LE COMTE, *en dehors*

Pourquoi donc enfermée?

LA COMTESSE, *troublée, se lève*

C'est mon époux! grands dieux!... (*A Chérubin
qui s'est levé aussi.*) Vous sans manteau, le col et
les bras nus! seul avec moi! cet air de désordre, un 10
billet reçu, sa jalousie!...

LE COMTE, *en dehors*

Vous n'ouvrez pas?

LA COMTESSE

C'est que... je suis seule...

LE COMTE, *en dehors*

Seule! Avec qui parlez-vous donc?

LA COMTESSE, *cherchant*

... Avec vous, sans doute. 15

CHÉRUBIN, *à part*

Après les scènes d'hier et de ce matin, il me tue-
rait sur la place! (*Il court au cabinet de toilette, y
entre et tire la porte sur lui.*)

Scène XI

LA COMTESSE, *seule, en ôte la clef et court ouvrir au Comte*

Ah! quelle faute, quelle faute!

Scène XII

LE COMTE, LA COMTESSE

LE COMTE, *un peu sévère*

5   Vous n'êtes pas dans l'usage de vous enfermer!

LA COMTESSE, *troublée*

Je... je chiffonnais... Oui, je chiffonnais avec
Suzanne; elle est passée un moment chez elle.

LE COMTE *l'examine*

Vous avez l'air et le ton bien altérés!

LA COMTESSE

Ce n'est pas étonnant,... pas étonnant du tout...
10 je vous assure... Nous parlions de vous... Elle
est passée, comme je vous dis.

LE COMTE

Vous parliez de moi!... Je suis ramené par
l'inquiétude; en montant à cheval, un billet qu'on

m'a remis, mais auquel je n'ajoute aucune foi, m'a
... pourtant agité.

LA COMTESSE

Comment, Monsieur?... quel billet?

LE COMTE

Il faut avouer, Madame, que vous ou moi sommes
entourés d'êtres... bien méchants! On me donne 5
avis que, dans la journée, quelqu'un que je crois
absent doit chercher à vous entretenir.

LA COMTESSE

Quel que soit cet audacieux, il faudra qu'il pénètre
ici; car mon projet est de ne pas quitter ma chambre de tout le jour. 10

LE COMTE

Ce soir, pour la noce de Suzanne?

LA COMTESSE

Pour rien au monde; je suis très incommodée.

LE COMTE

Heureusement le docteur est ici.
(*Le page fait tomber une chaise dans le cabinet.*)
Quel bruit entends-je? 15

LA COMTESSE, *plus troublée*

Du bruit?

LE COMTE

On a fait tomber un meuble.

LA COMTESSE

Je... je n'ai rien entendu, pour moi.

LA COMTE

Il faut que vous soyez furieusement préoccupée!

LA COMTESSE

Préoccupée! de quoi?

LE COMTE

Il y a quelqu'un dans ce cabinet, Madame.

LA COMTESSE

Hé... qui voulez-vous qu'il y ait, Monsieur?

LE COMTE

5   C'est moi qui vous le demande; j'arrive.

LA COMTESSE

Hé mais... Suzanne apparemment qui range.

LE COMTE

Vous avez dit qu'elle était passée chez elle!

LA COMTESSE

Passée... ou entrée là; je ne sais lequel.

LE COMTE

Si c'est Suzanne, d'où vient le trouble où je vous
10 vois?

LA COMTESSE

Du trouble pour ma cameriste?

LE COMTE

Pour votre camériste, je ne sais; mais pour du
trouble, assurément.

LA COMTESSE

Assurément, Monsieur, cette fille vous trouble et
15 vous occupe beaucoup plus que moi.

LE COMTE, *en colère*

Elle m'occupe à tel point, Madame, que je veux la
voir à l'instant.

LA COMTESSE

Je crois, en effet, que vous le voulez souvent; mais
voilà bien les soupçons les moins fondés...

Scène XIII

LE COMTE, LA COMTESSE; SUZANNE *entre avec des
hardes et pousse la porte du fond*

LE COMTE

Ils en seront plus aisés à détruire.   (*Il parle au*   5
cabinet.)   Sortez, Suzon; je vous l'ordonne.
(*Suzanne s'arrête auprès de l'alcôve dans le fond.*)

LA COMTESSE

Elle est presque nue, Monsieur.   Vient-on troubler
ainsi des femmes dans leur retraite?   Elle essayait
des hardes que je lui donne en la mariant; elle s'est   10
enfuie quand elle vous a entendu.

LE COMTE

Si elle craint tant de se montrer, au moins elle
peut parler.   (*Il se tourne vers la porte du cabinet.*)
Répondez-moi, Suzanne; êtes-vous dans ce cabinet?

(*Suzanne, restée au fond, se jette dans l'alcôve et*   15
s'y cache.)

LA COMTESSE, *vivement, parlant au cabinet*

Suzon, je vous défends de répondre.   (*Au Comte.*)
On n'a jamais poussé si loin la tyrannie!

LE COMTE, *s'avance au cabinet*

Oh bien! puisqu'elle ne parle pas, vêtue ou non,
je la verrai.

LA COMTESSE *se met au-devant*

5   Partout ailleurs je ne puis l'empêcher; mais
j'espère aussi que chez moi...

LE COMTE

Et moi, j'espère savoir dans un moment quelle
est cette Suzanne mystérieuse.   Vous demander la
clef serait, je le vois, inutile; mais il est un moyen
10 sûr de jeter en dedans cette légère porte.   Holà,
quelqu'un!

LA COMTESSE

Attirer vos gens et faire un scandale public d'un
soupçon qui nous rendrait la fable du château?

LE COMTE

Fort bien, Madame; en effet, j'y suffirai; je vais
15 à l'instant prendre chez moi ce qu'il faut... (*Il
marche pour sortir et revient.*)   Mais pour que tout
reste au même état, voudrez-vous bien m'accompagner sans scandale et sans bruit, puisqu'il vous
déplaît tant?...   Une chose aussi simple apparem-
20 ment ne me sera pas refusée!

LA COMTESSE, *troublée*

Eh! Monsieur, qui songe à vous contrarier?

LE COMTE

Ah ! j'oubliais la porte qui va chez vos femmes;
il faut que je la ferme aussi, pour que vous soyez
pleinement justifiée. (*Il va fermer la porte du fond et
en ôte la clef.*)

LA COMTESSE, *à part*

O Ciel! étourderie funeste!   5

LE COMTE, *revenant à elle*

Maintenant que cette chambre est close, acceptez
mon bras, je vous prie; (*il élève la voix*) et, quant à
la Suzanne du cabinet, il faudra qu'elle ait la bonté
de m'attendre, et le moindre mal qui puisse lui
arriver à mon retour...   10

LA COMTESSE

En vérité, Monsieur, voilà bien la plus odieuse
aventure... (*Le Comte l'emmène et ferme la porte
à la clef.*)

Scène XIV

SUZANNE, CHÉRUBIN

SUZANNE *sort de l'alcôve, accourt au cabinet, et
parle à la serrure*

Ouvrez, Chérubin, ouvrez vite, c'est Suzanne;
ouvrez, et sortez.   15

CHÉRUBIN *sort* [1]

Ah! Suzon, quelle horrible scène!

[1] Chérubin, Suzanne.

SUZANNE

Sortez, vous n'avez pas une minute.

CHÉRUBIN, *effrayé*

Eh! par où sortir?

SUZANNE

Je n'en sais rien, mais sortez.

CHÉRUBIN

S'il n'y a pas d'issue?

SUZANNE

5 Après la rencontre de tantôt, il vous écraserait! et nous serions perdues. Courez conter à Figaro...

CHÉRUBIN

La fenêtre du jardin n'est peut-être pas bien haute. (*Il court y regarder.*)

SUZANNE, *avec effroi*

Un grand étage! impossible! Ah ma pauvre maî-
10 tresse! et mon mariage, ô Ciel!

CHÉRUBIN *revient*

Elle donne sur la melonnière; quitte à gâter une couche ou deux...

SUZANNE, *le retient et s'écrie*

Il va se tuer!

CHÉRUBIN, *exalté*

Dans un gouffre allumé, Suzon! oui, je m'y jet-
15 terais plutôt que de lui nuire... Et ce baiser va me porter bonheur. (*Il l'embrasse et court sauter par la fenêtre.*)

Scène XV

SUZANNE, *seule; un cri de frayeur*

Ah! (*Elle tombe assise un moment. Elle va pénible-
ment regarder à la fenêtre et revient.*) Il est déjà bien
loin. Oh! le petit garnement! aussi leste que joli!
Si celui-là manque de femmes... Prenons sa place
au plus tôt. (*En entrant dans le cabinet.*) Vous 5
pouvez à présent, Monsieur le comte, rompre la
cloison, si cela vous amuse; au diantre qui répond un
mot!

(*Elle s'y enferme.*)

Scène XVI

LE COMTE, LA COMTESSE, *rentrent dans la chambre*

LE COMTE, *une pince à la main, qu'il jette sur le
fauteuil*

Tout est bien comme je l'ai laissé. Madame, en
m'exposant à briser cette porte, réfléchissez aux 10
suites: encore une fois, voulez-vous l'ouvrir?

LA COMTESSE

Eh! Monsieur, quelle horrible humeur peut
altérer ainsi les égards entre deux époux? Si l'amour
vous dominait au point de vous inspirer ces fureurs,
malgré leur déraison, je les excuserais; j'oublierais 15
peut-être, en faveur du motif, ce qu'elles ont d'offen-
sant pour moi. Mais la seule vanité peut-elle jeter
dans cet excès un galant homme?

LE COMTE

Amour ou vanité, vous ouvrirez la porte, ou je vais à l'instant...

LA COMTESSE, *au devant*

Arrêtez, Monsieur, je vous prie. Me croyez-vous capable de manquer à ce que je me dois?

LE COMTE

5 Tout ce qu'il vous plaira, Madame; mais je verrai qui est dans ce cabinet.

LA COMTESSE, *effrayée*

Eh bien, Monsieur, vous le verrez. Écoutez-moi ... tranquillement.

LE COMTE

Ce n'est donc pas Suzanne.

LA COMTESSE, *timidement*

10 Au moins n'est-ce pas non plus une personne... dont vous deviez rien redouter... Nous disposions une plaisanterie... bien innocente en vérité, pour ce soir,... et je vous jure...

LE COMTE

Et vous me jurez?

LA COMTESSE

15 Que nous n'avions pas plus de dessein de vous offenser l'un que l'autre.

LE COMTE, *vite*

L'un que l'autre? c'est un homme.

LA COMTESSE

Un enfant, Monsieur.

LE COMTE

Hé! qui donc?

LA COMTESSE

A peine osé-je le nommer!

LE COMTE, *furieux*

Je le tuerai.

LA COMTESSE

Grands dieux!   5

LE COMTE

Parlez donc.

LA COMTESSE

Ce jeune... Chérubin...

LE COMTE

Chérubin! L'insolent! Voilà mes soupçons et le
billet expliqués.

LA COMTESSE, *joignant les mains*

Ah! Monsieur, gardez de penser....   10

LE COMTE, *frappant du pied*

(*A part.*) Je trouverai partout ce maudit page!
(*Haut.*) Allons, Madame, ouvrez; je sais tout maintenant. Vous n'auriez pas été si émue en le congé-
diant ce matin; il serait parti quand je l'ai ordonné;
vous n'auriez pas mis tant de fausseté dans votre 15
conte de Suzanne; il ne serait pas si soigneusement
caché, s'il n'y avait rien de criminel.

LA COMTESSE

Il a craint de vous irriter en se montrant.

LE COMTE, *hors de lui, crie au cabinet:*

Sors donc, petit malheureux!

LA COMTESSE *le prend à bras-le-corps, en
l'éloignant*

Ah! Monsieur, Monsieur, votre colère me fait
trembler pour lui. N'en croyez pas un injuste soup-
5 çon, de grâce, et que le désordre où vous l'allez
trouver...

LE COMTE

Du désordre!

LA COMTESSE

Hélas! oui; prêt à s'habiller en femme, une
coiffure à moi sur la tête, en veste et sans manteau,
10 le col ouvert, les bras nus; il allait essayer...

LE COMTE

Et vous vouliez garder votre chambre! Indigne
épouse! Ah! vous la garderez... longtemps; mais
il faut avant que j'en chasse un insolent de manière
à ne plus le rencontrer nulle part.

LA COMTESSE *se jette à genoux, les bras élevés*

15 Monsieur le comte, épargnez un enfant; je ne
me consolerais pas d'avoir causé...

LE COMTE

Vos frayeurs aggravent son crime.

LA COMTESSE

Il n'est pas coupable, il partait: c'est moi qui l'ai
fait appeler.

LE COMTE, *furieux*

Levez-vous. Ôtez-vous... Tu es bien audacieuse
d'oser me parler pour un autre!

LA COMTESSE

Eh bien! je m'ôterai, Monsieur, je me lèverai, je 5
vous remettrai même la clef du cabinet; mais, au
nom de votre amour...

LE COMTE

De mon amour! Perfide!

LA COMTESSE *se lève et lui présente la clef*

Promettez-moi que vous laisserez aller cet enfant
sans lui faire aucun mal, et puisse, après, tout votre 10
courroux tomber sur moi, si je ne vous convaincs
pas...

LE COMTE, *prenant la clef*

Je n'écoute plus rien.

LA COMTESSE *se jette sur une bergère, un mouchoir*
sur les yeux

O Ciel! il va périr!

LE COMTE *ouvre la porte et recule*

C'est Suzanne!   15

Scène XVII

LE COMTE, LA COMTESSE, SUZANNE

SUZANNE *sort en riant*

Je le tuerai! Je le tuerai! Tuez-le donc, ce méchant page!

LE COMTE, à *part*

Ah! quelle école! (*Regardant la Comtesse qui est restée stupéfaite.*) Et vous aussi, vous jouez l'étonnement?... Mais peut-être elle n'y est pas seule. (*Il entre.*)

Scène XVIII

LA COMTESSE, *assise;* SUZANNE

SUZANNE *accourt à sa maîtresse*

Remettez-vous, Madame, il est bien loin; il a fait un saut...

LA COMTESSE

Ah! Suzan, je suis morte.

Scène XIX

LA COMTESSE, *assise;* SUZANNE, LE COMTE

LE COMTE *sort du cabinet d'un air confus. Après un court silence*

Il n'y a personne, et pour le coup j'ai tort. — Madame,... vous jouez fort bien la comédie.

Je le tuerai, je le tuerai . Tuez-le donc,
ce méchant Page

Illustration to Act II, Scene xvii by St. Quentin, from
the first edition of the *Mariage*, 1785.

SUZANNE, *gaîement*

Et moi, Monseigneur?

(*La Comtesse, son mouchoir sur sa bouche pour
se remettre, ne parle pas.*)

LE COMTE *s'approche* [1]

Quoi! Madame, vous plaisantiez?

LA COMTESSE, *se remettant un peu*

Eh! pourquoi non, Monsieur?

LE COMTE

Quel affreux badinage! et par quel motif, je vous
prie?...   5

LA COMTESSE

Vos folies méritent-elles de la pitié?

LE COMTE

Nommer folies ce qui touche à l'honneur!

LA COMTESSE, *assurant son ton par degrés*

Me suis-je unie à vous pour être éternellement
dévouée à l'abandon et à la jalousie, que vous seul
osez concilier?   10

LE COMTE

Ah! Madame, c'est sans ménagement.

SUZANNE

Madame n'avait qu'à vous laisser appeler les gens.

LE COMTE

Tu as raison, et c'est à moi de m'humilier... Pardon, je suis d'une confusion!...

[1] Suzanne, la Comtesse assise, le Comte.

SUZANNE

Avouez, Monseigneur, que vous la méritez un peu.

LE COMTE

Pourquoi donc ne sortais-tu pas lorsque je t'appe-
lais? Mauvaise!

SUZANNE

Je me rhabillais de mon mieux, à grand renfort
5 d'épingles, et Madame qui me le défendait, avait
bien ses raisons pour le faire.

LE COMTE

Au lieu de rappeler mes torts, aide-moi plutôt à
l'apaiser.

LA COMTESSE

Non, Monsieur; un pareil outrage ne se couvre
10 point. Je vais me retirer aux Ursulines, et je vois
trop qu'il en est temps.

LE COMTE

Le pourriez-vous sans quelques regrets?

SUZANNE

Je suis sûre, moi, que le jour du départ serait la
veille des larmes.

LA COMTESSE

15 Eh! quand cela serait, Suzon, j'aime mieux le
regretter que d'avoir la bassesse de lui pardonner; il
m'a trop offensée.

LE COMTE

Rosine!...

LA COMTESSE

Je ne la suis plus, cette Rosine que vous avez tant
poursuivie! je suis la pauvre comtesse Almaviva, la
triste femme délaissée que vous n'aimez plus.

SUZANNE

Madame...

LE COMTE, *suppliant*

Par pitié...   5

LA COMTESSE

Vous n'en aviez aucune pour moi.

LE COMTE

Mais aussi ce billet... Il m'a tourné le sang !

LA COMTESSE

Je n'avais pas consenti qu'on l'écrivît.

LE COMTE

Vous le saviez?

LA COMTESSE

C'est cet étourdi de Figaro...   10

LE COMTE

Il en était?

LA COMTESSE

... Qui l'a remis à Bazile.

LE COMTE

Qui m'a dit le tenir d'un paysan. O perfide chanteur! lame à deux tranchants! c'est toi qui paieras
pour tout le monde.   15

LA COMTESSE

Vous demandez pour vous un pardon que vous refusez aux autres: voilà bien les hommes! Ah! si jamais je consentais à pardonner en faveur de l'erreur où vous a jeté ce billet, j'exigerais que l'amnistie
5 fût générale.

LE COMTE

Eh bien, de tout mon cœur, Comtesse; mais comment réparer une faute aussi humiliante?

LA COMTESSE *se lève*

Elle l'était pour tous deux.

LE COMTE

Ah! dites pour moi seul. Mais je suis encore à
10 concevoir comment les femmes prennent si vite et si juste l'air et le ton des circonstances. Vous rougissiez, vous pleuriez, votre visage était défait... D'honneur, il l'est encore.

LA COMTESSE, *s'efforçant de sourire*

Je rougissais... du ressentiment de vos soup-
15 çons. Mais les hommes sont-ils assez délicats pour distinguer l'indignation d'une âme honnête outragée d'avec la confusion qui naît d'une accusation méritée?

LE COMTE, *souriant*

Et ce page en désordre, en veste et presque nu...

LA COMTESSE, *montrant Suzanne*

Vous le voyez devant vous. N'aimez-vous pas

mieux l'avoir trouvé que l'autre? En général, vous
ne haïssez pas de rencontrer celui-ci.

LE COMTE, *riant plus fort*

Et ces prières, ces larmes feintes...

LA COMTESSE

Vous me faites rire, et j'en ai peu d'envie.

LE COMTE

Nous croyons valoir quelque chose en politique, 5
et nous ne sommes que des enfants. C'est vous,
c'est vous, Madame, que le roi devrait envoyer en
ambassade à Londres! Il faut que votre sexe ait fait
une étude bien réfléchie de l'art de se composer pour
réussir à ce point!   10

LA COMTESSE

C'est toujours vous qui nous y forcez.

SUZANNE

Laissez-nous prisonniers sur parole, et vous verrez
si nous sommes gens d'honneur.

LA COMTESSE

Brisons là, Monsieur le comte. J'ai peut-être été
trop loin; mais mon indulgence en un cas aussi grave 15
doit au moins m'obtenir la vôtre.

LE COMTE

Mais vous répéterez que vous me pardonnez.

LA COMTESSE

Est-ce que je l'ai dit, Suzon?

SUZANNE

Je ne l'ai pas entendu, Madame.

LE COMTE

Eh bien, que ce mot vous échappe.

LA COMTESSE

Le méritez-vous donc, ingrat?

LE COMTE

Oui, par mon repentir.

SUZANNE

5   Soupçonner un homme dans le cabinet de Madame!

LE COMTE

Elle m'en a si sévèrement puni!

SUZANNE

Ne pas s'en fier à elle quand elle dit que c'est sa camériste!

LE COMTE

Rosine, êtes-vous donc implacable?

LA COMTESSE

10   Ah! Suzon, que je suis faible! quel exemple je te donne! (*Tendant la main au Comte.*) On ne croira plus à la colère des femmes.

SUZANNE

Bon! Madame, avec eux ne faut-il pas toujours en venir là? (*Le Comte baise ardemment la main de sa* 15 *femme.*)

Scène XX

SUZANNE, FIGARO, LA COMTESSE, LE COMTE

FIGARO, *arrivant tout essoufflé*

On disait Madame incommodée. Je suis vite accouru... Je vois avec joie qu'il n'en est rien.

LE COMTE, *sèchement*

Vous êtes fort attentif!

FIGARO

Et c'est mon devoir. Mais, puisqu'il n'en est rien, Monseigneur, tous vos jeunes vassaux des deux 5 sexes sont en bas avec les violons et les cornemuses, attendant pour m'accompagner l'instant où vous permettrez que je mène ma fiancée...

LE COMTE

Et qui surveillera la Comtesse au château?

FIGARO

La veiller? Elle n'est pas malade. 10

LE COMTE

Non; mais cet homme absent qui doit l'entretenir?

FIGARO

Quel homme absent?

LE COMTE

L'homme du billet que vous avez remis à Bazile.

FIGARO

Qui dit cela?

LE COMTE

Quand je ne le saurais pas d'ailleurs, fripon! ta
physionomie, qui t'accuse, me prouverait déjà que
tu mens.

FIGARO

S'il est ainsi, ce n'est pas moi qui mens, c'est ma
5 physionomie.

SUZANNE

Va, mon pauvre Figaro, n'use pas ton éloquence
en défaites: nous avons tout dit.

FIGARO

Et quoi dit? Vous me traitez comme un Bazile!

SUZANNE

Que tu avais écrit le billet de tantôt pour faire
10 accroire à Monseigneur, quand il entrerait, que le
petit page était dans ce cabinet où je me suis
enfermée.

LE COMTE

Qu'as-tu à répondre?

LA COMTESSE

Il n'y a plus rien à cacher, Figaro, le badinage est
15 consommé.

FIGARO, *cherchant à deviner*

Le badinage... est consommé?

LE COMTE

Oui, consommé.   Que dis-tu là-dessus?

FIGARO

Moi, je dis... que je voudrais bien qu'on en pût
dire autant de mon mariage, et si vous l'ordonnez...

LE COMTE

Tu conviens donc enfin du billet?

FIGARO

Puisque Madame le veut, que Suzanne le veut, que
vous le voulez-vous-même, il faut bien que je le 5
veuille aussi; mais à votre place, en vérité, Monseigneur, je ne croirais pas un mot de tout ce que
nous vous disons!

LE COMTE

Toujours mentir contre l'évidence! A la fin cela
m'irrite! 10

LA COMTESSE, *en riant*

Eh! ce pauvre garçon! pourquoi voulez-vous,
Monsieur, qu'il dise une fois la vérité?

FIGARO, *bas à Suzanne*

Je l'avertis de son danger; c'est tout ce qu'un
honnête homme peut faire.

SUZANNE, *bas*

As-tu vu le petit page? 15

FIGARO, *bas*

Encore tout froissé.

SUZANNE, *bas*

Ah! pécaïre!

LA COMTESSE

Allons, Monsieur le comte, ils brûlent de s'unir; leur impatience est naturelle; entrons pour la cérémonie.

LE COMTE, *à part*

Et Marceline, Marceline... (*Haut.*)   Je voudrais
5 être... au moins vêtu.

LA COMTESSE

Pour nos gens! Est-ce que je le suis?

Scène XXI

FIGARO, SUZANNE, LA COMTESSE, LE COMTE,
ANTONIO

ANTONIO, *demi-gris, tenant un pot de giroflées
écrasées*

Monseigneur! Monseigneur!

LE COMTE

Que me veux-tu, Antonio?

ANTONIO

Faites donc une fois griller les croisées qui donnent
10 sur mes couches.   On jette toutes sortes de choses par ces fenêtres, et tout à l'heure encore on vient d'en jeter un homme.

LE COMTE

Par ces fenêtres?

ANTONIO

Regardez comme on arrange mes giroflées!

SUZANNE, *bas à Figaro*

Alerte, Figaro, alerte!

FIGARO

Monseigneur, il est gris dès le matin.

ANTONIO

Vous n'y êtes pas. C'est un petit reste d'hier. Voilà comme on fait des jugements... ténébreux.

LE COMTE, *avec feu*

Cet homme! cet homme! où est-il?   5

ANTONIO

Où il est?

LE COMTE

Oui.

ANTONIO

C'est ce que je dis. Il faut me le trouver déjà. Je suis votre domestique; il n'y a que moi qui prends soin de votre jardin; il y tombe un homme, et vous 10 sentez... que ma réputation en est effleurée.

SUZANNE, *bas à Figaro*

Détourne, détourne.

FIGARO

Tu boiras donc toujours?

ANTONIO

Et, si je ne buvais pas, je deviendrais enragé.

LA COMTESSE

Mais en prendre ainsi sans besoin...   15

ANTONIO

Boire sans soif et faire l'amour en tout temps, Madame, il n'y a que ça qui nous distingue des autres bêtes.

LE COMTE, *vivement*

Réponds-moi donc, ou je vais te chasser.

ANTONIO

5 Est-ce que je m'en irais?

LE COMTE

Comment donc?

ANTONIO, *se touchant le front*

Si vous n'avez pas assez de ça pour garder un bon domestique, je ne suis pas assez bête, moi, pour renvoyer un si bon maître.

LE COMTE, *le secoue avec colère*

10 On a, dis-tu, jeté un homme par cette fenêtre?

ANTONIO

Oui, mon Excellence, tout à l'heure, en veste blanche, et qui s'est enfui, jarni, courant...

LE COMTE, *impatienté*

Après?

ANTONIO

J'ai bien voulu courir après, mais je me suis donné
15 contre la grille une si fière gourde à la main, que je ne peux plus remuer ni pied ni patte de ce doigt-là. (*Levant le doigt.*)

LE COMTE

Au moins tu reconnaîtrais l'homme?

ANTONIO

Oh! que oui-da!... si je l'avais vu, pourtant!

SUZANNE, *bas à Figaro*

Il ne l'a pas vu.

FIGARO

Voilà bien du train pour un pot de fleurs! Combien te faut-il, pleurard, avec ta giroflée? Il est 5
inutile de chercher, Monseigneur: c'est moi qui ai
sauté.

LE COMTE

Comment, c'est vous?

ANTONIO

Combien te faut-il, pleurard? Votre corps a donc
bien grandi depuis ce temps-là? car je vous ai 10
trouvé beaucoup plus moindre et plus fluet!

FIGARO

Certainement; quand on saute, on se pelotonne...

ANTONIO

M'est avis que c'était plutôt... qui dirait, le
gringalet de page.

LE COMTE

Chérubin, tu veux dire?   15

FIGARO

Oui, revenu tout exprès avec son cheval de la
porte de Séville, où peut-être il est déjà.

ANTONIO

Oh! non! je ne dis pas ça, je ne dis pas ça; je n'ai
pas vu sauter de cheval, car je le dirais de même.

LE COMTE

Quelle patience!

FIGARO

J'étais dans la chambre des femmes en veste
5 blanche: il fait un chaud!... J'attendais là ma
Suzannette, quand j'ai ouï tout à coup la voix de
Monseigneur et le grand bruit qui se faisait; je ne
sais quelle crainte m'a saisi à l'occasion de ce billet,
et, s'il faut avouer ma bêtise, j'ai sauté sans réflexion
10 sur les couches, où je me suis même un peu foulé le
pied droit. (*Il frotte son pied.*)

ANTONIO

Puisque c'est vous, il est juste de vous rendre ce
brimborion de papier qui a coulé de votre veste en
tombant.

LE COMTE *se jette dessus*

15   Donne-le-moi. (*Il ouvre le papier et le referme.*)

FIGARO, *à part*

Je suis pris.

LE COMTE, *à Figaro*

La frayeur ne vous aura pas fait oublier ce que
contient ce papier, ni comment il se trouvait dans
votre poche?

FIGARO, *embarrassé, fouille dans ses poches
et en tire des papiers*

Non, sûrement... Mais c'est que j'en ai tant; il
faut répondre à tout... (*Il regarde un des papiers.*)
Ceci? ah! c'est une lettre de Marceline, en quatre
pages; elle est belle... Ne serait-ce pas la requête
de ce pauvre braconnier en prison?... Non, la ₅
voici... J'avais l'état des meubles du petit château
dans l'autre poche...

(*Le Comte rouvre le papier qu'il tient.*)

LA COMTESSE, *bas à Suzanne*

Ah! Dieux! Suzon, c'est le brevet d'officier.

SUZANNE, *bas à Figaro*

Tout est perdu, c'est le brevet.

LE COMTE *replie le papier*

Eh bien! l'homme aux expédients, vous ne le ₁₀
devinez pas?

ANTONIO, *s'approchant de Figaro* [1]

Monseigneur dit, si vous ne devinez pas?

FIGARO *le repousse*

Fi donc! vilain qui me parle dans le nez!

LE COMTE

Vous ne vous rappelez pas ce que ce peut être?

FIGARO

Ah! ah! ah! ah! *povero!* ce sera le brevet de ce ₁₅
malheureux enfant, qu'il m'avait remis et que j'ai
oublié de lui rendre. Oh! oh! oh! oh! étourdi que

[1] Antonio, Figaro, Suzanne, la Comtesse, le Comte.

je suis! Que fera-t-il sans son brevet? Il faut courir...

LE COMTE

Pourquoi vous l'aurait-il remis?

FIGARO, *embarrassé*

Il... désirait qu'on y fît quelque chose.

LE COMTE *regarde son papier*

5 Il n'y manque rien.

LA COMTESSE, *bas à Suzanne*

Le cachet.

SUZANNE, *bas à Figaro*

Le cachet manque.

LE COMTE, *à Figaro*

Vous ne répondez pas?

FIGARO

C'est... qu'en effet, il y manque peu de chose.
10 Il dit que c'est l'usage...

LE COMTE

L'usage! l'usage! l'usage de quoi?

FIGARO

D'y apposer le sceau de vos armes. Peut-être aussi que cela ne valait pas la peine...

LE COMTE *rouvre le papier et le chiffonne de colère*

Allons! il est écrit que je ne saurai rien. (*A part.*)
15 C'est ce Figaro qui les mène, et je ne m'en vengerais pas? (*Il veut sortir avec dépit.*)

FIGARO, *l'arrêtant*

Vous sortez sans ordonner mon mariage?

Scène XXII

BAZILE, BARTHOLO, MARCELINE, FIGARO, LE COMTE,
GRIPPE-SOLEIL, LA COMTESSE, SUZANNE, ANTONIO,
Valets du Comte, ses Vassaux

MARCELINE, *au Comte*

Ne l'ordonnez pas, Monseigneur; avant de lui
faire grâce, vous nous devez justice. Il a des engagements avec moi.

LE COMTE, *à part*

Voilà ma vengeance arrivée.

FIGARO

Des engagements? De quelle nature? Expliquez- 5
vous.

MARCELINE

Oui, je m'expliquerai, malhonnête !...

(*La Comtesse s'assied sur une bergère, Suzanne
est derrière elle*)

LE COMTE

De quoi s'agit-il, Marceline?   10

MARCELINE

D'une obligation de mariage.

FIGARO

Un billet, voilà tout, pour de l'argent prêté.

MARCELINE, *au Comte*

Sous condition de m'épouser. Vous êtes un grand
seigneur, le premier juge de la province...

LE COMTE

Présentez-vous au tribunal; j'y rendrai justice
à tout le monde.

BAZILE, *montrant Marceline*

En ce cas, Votre Grandeur permet que je fasse
aussi valoir mes droits sur Marceline?

LE COMTE, *à part*

5   Ah! voilà mon fripon du billet.

FIGARO

Autre fou de la même espèce !

LE COMTE, *en colère, à Bazile*

Vos droits! vos droits! Il vous convient bien de
parler devant moi, maître sot?

ANTONIO, *frappant dans sa main*

Il ne l'a, ma foi, pas manqué du premier coup:
10 c'est son nom.

LE COMTE

Marceline, on suspendra tout jusqu'à l'examen de
vos titres, qui se fera publiquement dans la grande
salle d'audience.   Honnête Bazile, agent fidèle et
sûr, allez au bourg chercher les gens du siège.

BAZILE

15   Pour son affaire?

LE COMTE

Et vous m'amènerez le paysan du billet.

BAZILE

Est-ce que je le connais?

LE COMTE

Vous résistez!

BAZILE

Je ne suis pas entré au château pour en faire les commissions.

LE COMTE

Quoi donc?

BAZILE

Homme à talent sur l'orgue du village, je montre ₅ le clavecin à Madame, à chanter à ses femmes, la mandoline aux pages, et mon emploi, surtout, est d'amuser votre compagnie avec ma guitare, quand il vous plaît me l'ordonner.

GRIPPE-SOLEIL *s'avance*

J'irai bien, Monsigneu, si cela vous plaira? ₁₀

LA COMTE

Quel est ton nom et ton emploi?

GRIPPE-SOLEIL

Je suis Grippe-Soleil, mon bon Signeu; le petit patouriau des chèvres, commandé pour le feu d'artifice. C'est fête aujourd'hui dans le troupiau, et je sais ous-ce-qu'est toute l'enragée boutique à procès ₁₅ du pays.

LE COMTE

Ton zèle me plaît, vas-y; mais vous (*à Bazile*), accompagnez Monsieur en jouant de la guitare, et chantant pour l'amuser en chemin. Il est de ma compagnie. ₂₀

GRIPPE-SOLEIL, *joyeux*

Oh! moi, je suis de la...

(*Suzanne l'apaise de la main en lui montrant la
Comtesse.*)

BAZILE, *surpris*

Que j'accompagne Grippe-Soleil en jouant?

LE COMTE

C'est votre emploi; partez, ou je vous chasse.

(*Il sort.*)

Scène XXIII

LES ACTEURS PRÉCÉDENTS, *excepté le Comte*

BAZILE, *à lui-même*

Ah! je n'irai pas lutter contre le pot de fer, moi
5 qui ne suis...

FIGARO

Qu'une cruche.

BAZILE, *à part*

Au lieu d'aider à leur mariage, je m'en vais assurer
le mien avec Marceline. (*A Figaro.*) Ne conclus
rien, crois-moi, que je ne sois de retour. (*Il va pren-*
10 *dre la guitare sur le fauteuil du fond.*)

FIGARO *le suit*

Conclure! Oh! va, ne crains rien, quand même
tu ne reviendrais jamais... Tu n'as pas l'air en
train de chanter; veux-tu que je commence?...
Allons, gai! haut la-mi-la pour ma fiancée. (*Il se*

met en marche à reculons, danse en chantant la ségue-
dille suivante; Bazile accompagne, et tout le monde
le suit.)

SÉGUEDILLE: *Air noté*
Je préfère à richesse
 La sagesse   5
De ma Suzon;
 Zon, zon, zon,
 Zon, zon, zon,
 Zon, zon, zon,
 Zon, zon, zon.   10
Aussi sa gentillesse
Est maîtresse
De ma raison;
 Zon, zon, zon,
 Zon, zon, zon,   15
 Zon, zon, zon,
 Zon, zon, zon.

(Le bruit s'éloigne, on n'entend pas le reste.)

Scène XXIV

SUZANNE, LA COMTESSE

LA COMTESSE, *dans sa bergère*

Vous voyez, Suzanne, la jolie scène que votre
étourdi m'a value avec son billet.

SUZANNE

Ah! Madame, quand je suis rentrée du cabinet, 20
si vous aviez vu votre visage! Il s'est terni tout à
coup; mais ce n'a été qu'un nuage, et, par degrés,
vous êtes devenue rouge, rouge, rouge!

LA COMTESSE

Il a donc sauté par la fenêtre?

SUZANNE

Sans hésiter, le charmant enfant! Léger...
comme une abeille.

LA COMTESSE

Ah! ce fatal jardinier! Tout cela m'a remuée au
5 point... que je ne pouvais rassembler deux idées.

SUZANNE

Ah! Madame, au contraire; et c'est là que j'ai
vu combien l'usage du grand monde donne d'aisance
aux dames comme il faut pour mentir sans qu'il y
paraisse.

LA COMTESSE

10   Crois-tu que le Comte en soit la dupe? et s'il trouvait cet enfant au château!

SUZANNE

Je vais recommander de le cacher si bien...

LA COMTESSE

Il faut qu'il parte. Après ce qui vient d'arriver,
vous croyez bien que je ne suis pas tentée de l'en-
15 voyer au jardin à votre place.

SUZANNE

Il est certain que je n'irai pas non plus. Voilà
donc mon mariage encore une fois...

LA COMTESSE *se lève*

Attends... Au lieu d'une autre ou de toi, si j'y
allais moi-même?

SUZANNE

Vous, Madame?

LA COMTESSE

Il n'y aurait personne d'exposé... le Comte alors ne pourrait nier... Avoir puni sa jalousie et lui prouver son infidélité! cela serait... Allons: le bonheur d'un premier hasard m'enhardit à tenter le 5 second. Fais-lui savoir promptement que tu te rendras au jardin. Mais, surtout, que personne...

SUZANNE

Ah! Figaro.

LA COMTESSE

Non, non. Il voudrait mettre ici du sien... Mon masque de velours et ma canne, que j'aille y 10 rêver sur la terrasse. (*Suzanne entre dans le cabinet de toilette.*)

SCÈNE XXV

LA COMTESSE, *seule*

Il est assez effronté, mon petit projet! (*Elle se retourne.*) Ah! le ruban! mon joli ruban! je t'oubliais! (*Elle le prend sur sa bergère et le roule.*) Tu 15 ne me quitteras plus... tu me rappelleras la scène où ce malheureux enfant... Ah! Monsieur le comte, qu'avez-vous fait?... Et moi, que fais-je en ce moment?

Scène XXVI

LA COMTESSE, SUZANNE

(*La Comtesse met furtivement le ruban dans son sein.*)

SUZANNE

Voici la canne et votre loup.

LA COMTESSE

Souviens-toi que je t'ai défendu d'en dire un mot à Figaro.

SUZANNE, *avec joie*

Madame, il est charmant, votre projet. Je viens
5 d'y réfléchir. Il rapproche tout, termine tout, embrasse tout, et, quelque chose qui arrive, mon mariage est maintenant certain. (*Elle baise la main de sa maîtresse.*)

(*Elles sortent.*)

FIN DU SECOND ACTE

Pendant l'entr'acte des valets arrangent la salle d'audience: on apporte les deux banquettes à dossier des avocats, que l'on place aux deux côtés du théâtre, de façon que le passage soit libre par derrière. On pose une estrade à deux marches dans le milieu du théâtre vers le fond, sur laquelle on place le fauteuil du Comte. On met la table du greffier et son tabouret de côté sur le devant, et des sièges pour Brid'oison et d'autres juges des deux côtés de l'estrade du Comte.

ACTE III

Le théâtre représente une salle du château appelée Salle du trône et servant de salle d'audience, ayant sur le côté une impériale en dais, et dessous, le portrait du roi.

Scène première

LE COMTE, PÉDRILLE, *en veste et botté, tenant un paquet cacheté*

LE COMTE, *vite*

M'as-tu bien entendu?

PÉDRILLE

Excellence, oui.   (*Il sort.*)

Scène II

LE COMTE, *seul, criant*

Pédrille!

Scène III

LE COMTE, PÉDRILLE *revient*

PÉDRILLE

Excellence?

LE COMTE

On ne t'a pas vu?

5

PÉDRILLE

Ame qui vive.

LE COMTE

Prenez le cheval barbe.

PÉDRILLE

Il est à la grille du potager, tout sellé.

LE COMTE

Ferme, d'un trait jusqu'à Séville.

PÉDRILLE

5   Il n'y a que trois lieues, elles sont bonnes.

LE COMTE

En descendant, sachez si le page est arrivé.

PÉDRILLE

Dans l'hôtel?

LE COMTE

Oui; surtout depuis quel temps.

PÉDRILLE

J'entends.

LE COMTE

10   Remets-lui son brevet, et reviens vite.

PÉDRILLE

Et s'il n'y était pas?

LE COMTE

Revenez plus vite, et m'en rendez compte. Allez.

Scène IV

LE COMTE, *seul, marche en rêvant*

J'ai fait une gaucherie en éloignant Bazile!...
La colère n'est bonne à rien. Ce billet, remis par lui,
qui m'avertit d'une entreprise sur la Comtesse...
La camériste enfermée quand j'arrive... La maîtresse affectée d'une terreur fausse ou vraie... Un 5
homme qui saute par la fenêtre, et l'autre après
qui avoue... ou qui prétend que c'est lui... Le
fil m'échappe. Il y a là dedans une obscurité...
Des libertés chez mes vassaux, qu'importe à gens
de cette étoffe? Mais la Comtesse! Si quelque 10
insolent attentait... Où m'égaré-je? En vérité,
quand la tête se monte, l'imagination la mieux
réglée devient folle comme un rêve! Elle s'amusait;
ces ris étouffés, cette joie mal éteinte! Elle se
respecte, et mon honneur... où diable on l'a placé! 15
De l'autre part, où suis-je? Cette friponne de
Suzanne a-t-elle trahi mon secret? Comme il n'est
pas encore le sien!... Qui donc m'enchaîne à cette
fantaisie? J'ai voulu vingt fois y renoncer...
Étrange effet de l'irrésolution! Si je la voulais 20
sans débat, je la désirerais mille fois moins. Ce
Figaro se fait bien attendre! il faut le sonder
adroitement (*Figaro paraît dans le fond; il s'arrête*),
et tâcher, dans la conversation que je vais avoir
avec lui, de démêler d'une manière détournée s'il est 25
instruit ou non de mon amour pour Suzanne.

Scène V

LE COMTE, FIGARO

FIGARO, *à part*

Nous y voilà.

LE COMTE

... S'il en sait par elle un seul mot...

FIGARO, *à part*

Je m'en suis douté.

LE COMTE

... Je lui fais épouser la vieille.

FIGARO, *à part*

5   Les amours de monsieur Bazile?

LE COMTE

... Et voyons ce que nous ferons de la jeune.

FIGARO, *à part*

Ah! ma femme, s'il vous plaît.

LE COMTE *se retourne*

Hein? quoi? qu'est-ce que c'est?

FIGARO *s'avance*

Moi, qui me rends à vos ordres.

LE COMTE

10   Et pourquoi ces mots?

FIGARO

Je n'ai rien dit.

LE COMTE *répète*

Ma femme, s'il vous plaît?

FIGARO

C'est... la fin d'une réponse que je faisais: *Allez le dire à ma femme, s'il vous plaît.*

LE COMTE *se promène*

Sa femme!... Je voudrais bien savoir quelle affaire peut arrêter Monsieur quand je le fais appeler? 5

FIGARO, *feignant d'assurer son habillement*

Je m'étais sali sur ces couches en tombant; je me changeais.

LE COMTE

Faut-il une heure?

FIGARO

Il faut le temps. 10

LE COMTE

Les domestiques, ici,... sont plus longs à s'habiller que les maîtres!

FIGARO

C'est qu'ils n'ont point de valets pour les y aider.

LE COMTE

... Je n'ai pas trop compris ce qui vous avait forcé tantôt de courir un danger inutile en vous jetant... 15

FIGARO

Un danger! On dirait que je me suis engouffré tout vivant...

LE COMTE

Essayez de me donner le change en feignant de le prendre, insidieux valet! Vous entendez fort bien que ce n'est pas le danger qui m'inquiète, mais le motif.

FIGARO

5   Sur un faux avis, vous arrivez furieux, renversant tout, comme le torrent de *la Morena;* vous cherchez un homme, il vous le faut, ou vous allez briser les portes, enfoncer les cloisons! Je me trouve là par hasard: qui sait, dans votre emportement, si...

LE COMTE, *interrompant*

10   Vous pouviez fuir par l'escalier.

FIGARO

Et vous, me prendre au corridor.

LE COMTE, *en colère*

Au corridor? (*A part.*) Je m'emporte, et nuis à ce que je veux savoir.

FIGARO, *à part*

Voyons-le venir, et jouons serré.

LE COMTE, *radouci*

15   Ce n'est pas ce que je voulais dire, laissons cela. J'avais... oui, j'avais quelque envie de t'emmener à Londres, courrier de dépêches;... mais, toutes réflexions faites...

FIGARO

Monseigneur a changé d'avis?

LE COMTE

Premièrement, tu ne sais pas l'anglais.

FIGARO

Je sais *God-dam*.

LE COMTE

Je n'entends pas.

FIGARO

Je dis que je sais *God-dam*.

LE COMTE

Hé bien? 5

FIGARO

Diable! c'est une belle langue que l'anglais; il en faut peu pour aller loin. Avec *God-dam*, en Angle-terre, on ne manque de rien nulle part. Voulez-vous tâter d'un bon poulet gras? entrez dans une taverne, et faites seulement ce geste au garçon (*il tourne la* 10 *broche*), *God-dam!* on vous apporte un pied de bœuf salé sans pain. C'est admirable! Aimez-vous à boire un coup d'excellent bourgogne ou de clairet? rien que celui-ci (*il débouche une bouteille*), *God-dam!* on vous sert un pot de bière, en bel étain, la mousse 15 aux bords. Quelle satisfaction! Rencontrez-vous une de ces jolies personnes qui vont trottant menu, les yeux baissés, coudes en arrière et tortillant un peu des hanches? mettez mignardement tous les doigts unis sur la bouche. Ah! *God-dam!* elle vous 20 sangle un soufflet de crocheteur. Preuve qu'elle entend. Les Anglais, à la vérité, ajoutent par-ci

par-là quelques autres mots en conversant; mais
il est bien aisé de voir que *God-dam* est le fond de la
langue; et si Monseigneur n'a pas d'autre motif de
me laisser en Espagne...

LE COMTE, *à part*

5   Il veut venir à Londres; elle n'a pas parlé.

FIGARO, *à part*

Il croit que je ne sais rien; travaillons-le un peu
dans son genre.

LE COMTE

Quel motif avait la Comtesse pour me jouer un
pareil tour?

FIGARO

10   Ma foi, Monseigneur, vous le savez mieux que moi.

LE COMTE

Je la préviens sur tout et la comble de présents.

FIGARO

Vous lui donnez, mais vous êtes infidèle. Sait-on
gré du superflu à qui nous prive du nécessaire?

LE COMTE

... Autrefois tu me disais tout.

FIGARO

15   Et maintenant je ne vous cache rien.

LE COMTE

Combien la Comtesse t'a-t-elle donné pour cette
belle association?

FIGARO

Combien me donnâtes-vous pour la tirer des mains du docteur? Tenez, Monsieur, n'humilions pas l'homme qui nous sert bien, crainte d'en faire un mauvais valet.

LE COMTE

Pourquoi faut-il qu'il y ait toujours du louche en ce que tu fais? 5

FIGARO

C'est qu'on en voit partout quand on cherche des torts.

LE COMTE

Une réputation détestable!

FIGARO

Et si je vaux mieux qu'elle? Y a-t-il beaucoup 10 de seigneurs qui puissent en dire autant?

LE COMTE

Cent fois je t'ai vu marcher à la fortune, et jamais aller droit.

FIGARO

Comment voulez-vous? La foule est là; chacun veut courir; on se presse, on pousse, on coudoie, 15 on renverse; arrive qui peut, le reste est écrasé. Aussi c'est fait; pour moi, j'y renonce.

LE COMTE

A la fortune? (*A part.*) Voici du neuf.

FIGARO, *à part*

A mon tour maintenant. (*Haut.*) Votre Excel-

lence m'a gratifié de la conciergerie du château; c'est
un fort joli sort: à la vérité je ne serai pas le courrier étrenné des nouvelles intéressantes; mais, en
revanche, heureux avec ma femme au fond de
5 l'Andalousie...

LE COMTE

Qui t'empêcherait de l'emmener à Londres?

FIGARO

Il faudrait la quitter si souvent que j'aurais bientôt du mariage par-dessus la tête.

LE COMTE

Avec du caractère et de l'esprit, tu pourrais un
10 jour t'avancer dans les bureaux.

FIGARO

De l'esprit pour s'avancer? Monseigneur se rit
du mien. Médiocre et rampant, et l'on arrive à
tout.

LE COMTE

...Il ne faudrait qu'étudier un peu sous moi la
15 politique.

FIGARO

Je la sais.

LE COMTE

Comme l'anglais: le fond de la langue!

FIGARO

Oui, s'il y avait ici de quoi se vanter; mais fein-
dre d'ignorer ce qu'on sait, de savoir tout ce qu'on
20 ignore, d'entendre ce qu'on ne comprend pas, de ne

point ouïr ce qu'on entend, surtout de pouvoir au
delà de ses forces; avoir souvent pour grand secret
de cacher qu'il n'y en a point; s'enfermer pour tailler
des plumes et paraître profond quand on n'est,
comme on dit, que vide et creux; jouer bien ou mal 5
un personnage; répandre des espions et pensionner
des traîtres; amollir des cachets, intercepter des
lettres, et tâcher d'ennoblir la pauvreté des moyens
par l'importance des objects: voilà toute la politique,
ou je meure!   10

LE COMTE
Eh! c'est l'intrigue que tu définis!

FIGARO
La politique, l'intrigue, volontiers; mais, comme
je les crois un peu germaines, en fasse qui voudra!
J'aime mieux ma mie, oh gué! comme dit la chanson
du bon roi.   15

LE COMTE, *à part*
Il veut rester. J'entends... Suzanne m'a trahi.

FIGARO, *à part*
Je l'enfile et le paie en sa monnaie.

LE COMTE
Ainsi tu espères gagner ton procès contre Marceline?

FIGARO
Me feriez-vous un crime de refuser une vieille 20
fille, quand Votre Excellence se permet de nous
souffler toutes les jeunes?

LA COMTE, *raillant*

Au tribunal le magistrat s'oublie et ne voit plus que l'ordonnance.

FIGARO

Indulgente aux grands, dure aux petits...

LE COMTE

Crois-tu donc que je plaisante?

FIGARO

5 Eh! qui le sait, Monseigneur? *Tempo è galant' uomo*, dit l'italien; il dit toujours la vérité: c'est lui qui m'apprendra qui me veut du mal ou du bien.

LE COMTE, *à part*

Je vois qu'on lui a tout dit; il épousera la duègne.

FIGARO, *à part*

Il a joué au fin avec moi; qu'a-t-il appris?

Scène VI

LE COMTE, UN LAQUAIS, FIGARO

LE LAQUAIS, *annonçant*

10 Don Gusman Brid'oison.

LE COMTE

Brid'oison?

FIGARO

Eh! sans doute. C'est le juge ordinaire, le lieutenant du siège, votre prud'homme.

LE COMTE

Qu'il attende.   (*Le laquais sort.*)

Scène VII

LE COMTE, FIGARO

FIGARO *reste un moment à regarder le Comte
qui rêve*

...Est-ce là ce que Monseigneur voulait?

LE COMTE, *revenant à lui*

Moi?... je disais d'arranger ce salon pour l'audience publique.

FIGARO

Hé! qu'est-ce qu'il manque? le grand fauteuil 5
pour vous, de bonnes chaises aux prud'hommes, le
tabouret du greffier, deux banquettes aux avocats,
le plancher pour le beau monde, et la canaille derrière. Je vais renvoyer les frotteurs.

(*Il sort.*)

Scène VIII

LE COMTE, *seul*

Le maraud m'embarrassait! en disputant, il 10
prend son avantage, il vous serre, vous enveloppe...
Ah! friponne et fripon! vous vous entendez pour me
jouer? Soyez amis, soyez amants, soyez ce qu'il vous
plaira, j'y consens; mais, parbleu, pour époux...

Scène IX

SUZANNE, LE COMTE

SUZANNE, *essoufflée*

Monseigneur,... pardon, Monseigneur.

LE COMTE, *avec humeur*

Qu'est-ce qu'il y a, Mademoiselle?

SUZANNE

Vous êtes en colère?

LE COMTE

Vous voulez quelque chose apparemment?

SUZANNE, *timidement*

5 C'est que ma maîtresse a ses vapeurs. J'accourais vous prier de nous prêter votre flacon d'éther. Je l'aurais rapporté dans l'instant.

LE COMTE *le lui donne*

Non, non, gardez-le pour vous-même, il ne tardera pas à vous être utile.

SUZANNE

10 Est-ce que les femmes de mon état ont des vapeurs, donc? C'est un mal de condition, qu'on ne prend que dans les boudoirs.

LE COMTE

Une fiancée bien éprise, et qui perd son futur.

SUZANNE

En payant Marceline avec la dot que vous m'avez 15 promise.

LE COMTE

Que je vous ai promise, moi?

SUZANNE, *baissant les yeux*

Monseigneur, j'avais cru l'entendre.

LE COMTE

Oui, si vous consentiez à m'entendre vous-même.

SUZANNE, *les yeux baissés*

Et n'est-ce pas mon devoir d'écouter Son Excel-
lence?   5

LE COMTE

Pourquoi donc, cruelle fille, ne me l'avoir pas dit
plus tôt?

SUZANNE

Est-il jamais trop tard pour dire la vérité?

LE COMTE

Tu te rendrais sur la brune au jardin?

SUZANNE

Est-ce que je ne m'y promène pas tous les soirs?   10

LE COMTE

Tu m'as traité ce matin si durement!

SUZANNE

Ce matin?... Et le page derrière le fauteuil?

LE COMTE

Elle a raison, je l'oubliais. Mais pourquoi ce
refus obstiné, quand Bazile, de ma part...?

SUZANNE

Quelle nécessité qu'un Bazile...?   15

LE COMTE

Elle a toujours raison.   Cependant il y a un certain Figaro à qui je crains bien que vous n'ayez tout
dit!

SUZANNE

Dame! oui, je lui dis tout, hors ce qu'il faut lui
5 taire.

LE COMTE, *en riant*

Ah! charmante! Et tu me le promets?   Si tu
manquais à ta parole, entendons-nous, mon cœur:
point de rendez-vous, point de dot, point de mariage.

SUZANNE, *faisant la révérence*

Mais aussi point de mariage, point de droit du
10 seigneur, Monseigneur.

LE COMTE

Où prend-elle ce qu'elle dit?   D'honneur, j'en
raffolerai!   Mais ta maîtresse attend le flacon...

SUZANNE, *riant et rendant le flacon*

Aurais-je pu vous parler sans un prétexte?

LE COMTE *veut l'embrasser*

Délicieuse créature?

SUZANNE *s'échappe*

15 Voilà du monde.

LE COMTE, *à part*

Elle est à moi.

(*Il s'enfuit.*)

SUZANNE

Allons vite rendre compte à Madame.

Scène X

SUZANNE, FIGARO

FIGARO

Suzanne, Suzanne! Où cours-tu donc si vite en quittant Monseigneur?

SUZANNE

Plaide à présent, si tu le veux; tu viens de gagner ton procès. (*Elle s'enfuit.*)

FIGARO *la suit*

Ah ! mais, dis donc...   5

Scène XI

LE COMTE *rentre seul*

Tu viens de gagner ton procès! Je donnais là dans un bon piège ! O mes chers insolents! je vous punirai de façon... Un bon arrêt, bien juste... Mais, s'il allait payer la duègne... Avec quoi? S'il payait... Eeeeh! n'ai-je pas le fier Antonio, dont le noble 10 orgueil dédaigne en Figaro un inconnu pour sa nièce? En caressant cette manie... Pourquoi non? Dans le vaste champ de l'intrigue, il faut savoir tout cultiver, jusqu'à la vanité d'un sot. (*Il appelle.*) Anto... *Il voit entrer Marceline, etc.*)   15

(*Il sort.*)

Scène XII

BARTHOLO, MARCELINE, BRID'OISON

MARCELINE, *à Brid'oison*

Monsieur, écoutez mon affaire.

BRID'OISON, *en robe et bégayant un peu*

Eh bien, pa-arlons-en verbalement.

BARTHOLO

C'est une promesse de mariage.

MARCELINE

Accompagnée d'un prêt d'argent.

BRID'OISON

5   J'en-entends, *et cætera*, le reste.

MARCELINE

Non, Monsieur, point d'*et cætera*.

BRID'OISON

J'en-entends; vous avez la somme?

MARCELINE

Non, Monsieur, c'est moi qui l'ai prêtée.

BRID'OISON

J'en-entends bien; vou-ous redemandez l'argent?

MARCELINE

10   Non, Monsieur; je demande qu'il m'épouse.

BRID'OISON

Eh mais, j'en-entends fort bien; et lui, veu-eut-
il vous épouser?

MARCELINE

Non, Monsieur; voilà tout le procès!

BRID'OISON

Croyez-vous que je ne l'en-entende pas, le procès?

MARCELINE

Non, Monsieur. (*A Bartholo.*) Où sommes-nous !
(*A Brid'oison.*) Quoi ! c'est vous qui nous jugerez?

BRID'OISON

Est-ce que j'ai a-acheté ma charge pour autre 5
chose?

MARCELINE, *en soupirant*

C'est un grand abus que de les vendre!

BRID'OISON

Oui, l'on-on ferait mieux de nous les donner pour
rien.   Contre qui plai-aidez-vous?

Scène XIII

BARTHOLO, MARCELINE, BRID'OISON; FIGARO,
rentre en se frottant les mains

MARCELINE, *montrant Figaro*

Monsieur, contre ce malhonnête homme.   10

FIGARO, *très gaiement, à Marceline*

Je vous gêne peut-être. — Monseigneur revient
dans l'instant, Monsieur le conseiller.

BRID'OISON

J'ai vu ce ga-arçon-là quelque part.

FIGARO

Chez madame votre femme, à Séville, pour la servir, Monsieur le conseiller.

BRID'OISON

Dans-ans quel temps?

FIGARO

Un peu moins d'un an avant la naissance de mon-
5 sieur votre fils, le cadet, qui est un bien joli enfant, je m'en vante.

BRID'OISON

Oui, c'est le plus jo-oli de tous. On dit que tu-u fais ici des tiennes?

FIGARO

Monsieur est bien bon. Ce n'est là qu'une misère.

BRID'OISON

10 Une promesse de mariage. A-ah! le pauvre benêt!

FIGARO

Monsieur...

BRID'OISON

A-t-il vu mon-on secrétaire, ce bon garçon?

FIGARO

N'est-ce pas Double-Main, le greffier?

BRID'OISON

Oui, c'è-est qu'il mange à deux râteliers.

FIGARO

15 Manger! je suis garant qu'il dévore. Oh! que oui, je l'ai vu, pour l'extrait, et pour le supplément d'extrait; comme cela se pratique, au reste.

BRID'OISON

On-on doit remplir les formes.

FIGARO

Assurément, Monsieur: si le fond des procès appartient aux plaideurs, on sait bien que la forme est le patrimoine des tribunaux.

BRID'OISON

Ce garçon-là n'è-est pas si niais que je l'avais cru 5 d'abord. Hé bien, l'ami, puisque tu en sais tant, nou-ous aurons soin de ton affaire.

FIGARO

Monsieur, je m'en rapporte à votre équité, quoi-que vous soyez de notre justice.

BRID'OISON

Hein?... Oui, je suis de la-a justice. Mais si tu 10 dois et que tu-u ne payes pas?...

FIGARO

Alors Monsieur voit bien que c'est comme si je ne devais pas.

BRID'OISON

San-ans doute. Hé! mais, qu'est-ce donc qu'il dit?

SCÈNE XIV

BARTHOLO, MARCELINE, LE COMTE, BRID'OISON, FIGARO, UN HUISSIER

L'HUISSIER, *précédant le Comte, crie:*
Monseigneur, Messieurs!   15

LE COMTE

En robe ici, Seigneur Brid'oison! ce n'est qu'une
affaire domestique. L'habit de ville était trop bon.

BRID'OISON

C'è-est vous qui l'êtes, Monsieur le comte. Mais
je ne vais jamais sans-ans elle; parce que la forme,
5   voyez-vous, la forme! Tel rit d'un juge en habit
court, qui-i tremble au seul aspect d'un procureur en
robe. La forme, la-a forme!

LE COMTE, *à l'Huissier*

Faites entrer l'audience.

L'HUISSIER *va ouvrir en glapissant*

L'audience!

SCÈNE XV

LES ACTEURS PRÉCÉDENTS, ANTONIO, LES VALETS DU CHATEAU,
LES PAYSANS ET PAYSANNES *en habits de fête;* LE   COMTE
s'assied sur le grand fauteuil; BRID'OISON, *sur une chaise à
côté;* LE GREFFIER, *sur le tabouret derrière sa table;* LES JUGES,
LES AVOCATS, *sur les banquettes;* MARCELINE, *à côté de* BAR-
THOLO; FIGARO, *sur l'autre banquette;* LES PAYSANS ET
VALETS *debout derrière.*

BRID'OISON, *à Double-Main*

10   Double-Main, a-appelez les causes.

DOUBLE-MAIN *lit un papier*

Noble, très noble, infiniment noble, *Don Pédro
George, Hidalgo, Baron de los Altos, y Montes Fieros,
y otros montes,* contre *Alonzo Calderon,* jeune auteur

dramatique. Il est question d'une comédie mort-
née, que chacun désavoue et rejette sur l'autre.

LE COMTE

Ils ont raison tous deux. Hors de cour. S'ils font
ensemble un autre ouvrage, pour qu'il marque un
peu dans le grand monde, ordonné que le noble y 5
mettra son nom, le poète son talent.

DOUBLE-MAIN lit un autre papier

André Pétrutchio, laboureur, contre le receveur de
la province. Il s'agit d'un forcement arbitraire.

LE COMTE

L'affaire n'est pas de mon ressort. Je servirai
mieux mes vassaux en les protégeant près du 10
roi. Passez.

DOUBLE-MAIN en prend un troisième. Bartholo
et Figaro se lèvent

Barbe-Agar-Raab-Magdelaine-Nicole-Marceline de
Verte-Allure, fille majeure (Marceline se lève et salue),
contre Figaro... nom de baptême en blanc?

FIGARO

Anonyme.   15
BRID'OISON

A-anonyme?   Què-el patron est-ce là?

FIGARO

C'est le mien.
DOUBLE-MAIN écrit

Contre Anonyme Figaro.   Qualités?

FIGARO

Gentilhomme.

LE COMTE

Vous êtes gentilhomme?   (*Le Greffier écrit.*)

FIGARO

Si le Ciel l'eût voulu, je serais fils d'un prince.

LE COMTE, *au Greffier*

Allez.

L'HUISSIER, *glapissant*

5 Silence, Messieurs!

DOUBLE-MAIN *lit*

. . . Pour cause d'opposition faite au mariage dudit
Figaro par ladite *de Verte-Allure*. Le docteur *Bartholo* plaidant pour la demanderesse, et ledit *Figaro*
pour lui-même, si la cour le permet, contre le vœu
10 de l'usage et la jurisprudence du siège.

FIGARO

L'usage, maître Double-Main, est souvent un
abus; le client un peu instruit sait toujours mieux
sa cause que certains avocats qui, suant à froid,
criant à tue-tête, et connaissant tout, hors le fait,
15 s'embarrassent aussi peu de ruiner le plaideur que
d'ennuyer l'auditoire et d'endormir Messieurs;
plus boursoufflés après que s'ils eussent composé
l'*oratio pro Murena*. Moi, je dirai le fait en peu de
mots. Messieurs...

DOUBLE-MAIN

20 En voilà beaucoup d'inutiles, car vous n'êtes pas

demandeur et n'avez que la défense. Avancez,
docteur, et lisez la promesse.

FIGARO

Oui, promesse!

BARTHOLO, *mettant ses lunettes*

Elle est précise.

BRID'OISON

I-il faut la voir.   5

DOUBLE-MAIN

Silence donc, Messieurs!

L'HUISSIER, *glapissant*

Silence!

BARTHOLO *lit*

Je soussigné reconnais avoir reçu de damoiselle,
etc... Marceline de Verte-Allure, dans le château
d'Aguas-Frescas, la somme de deux mille piastres fortes 10
cordonnées; laquelle somme je lui rendrai à sa réquisi-
tion dans ce château, et je l'épouserai par forme de
reconnaissance, etc. Signé *Figaro,* tout court. Mes
conclusions sont au paiement du billet et à l'exécu-
tion de la promesse, avec dépens. (*Il plaide.*) 15
Messieurs... jamais cause plus intéressante ne
fut soumise au jugement de la cour! et, depuis
Alexandre le Grand, qui promit mariage à la belle
Thalestris...

LE COMTE, *interrompant*

Avant d'aller plus loin, Avocat, convient-on de la 20
validité du titre?

BRID'OISON, *à Figaro*

Qu'oppo... qu'oppo-osez-vous à cette lecture?

FIGARO

Qu'il y a, Messieurs, malice, erreur ou distraction
dans la manière dont on a lu la pièce; car il n'est
pas dit dans l'écrit: *laquelle somme je lui rendrai ET*
5 *je l'épouserai;* mais: *laquelle somme je lui rendrai,*
OU je l'épouserai, ce qui est bien différent.

LE COMTE

Y a-t-il ET, dans l'acte; ou bien OU?

BARTHOLO

Il y a ET.

FIGARO

Il y a OU.

BRID'OISON

10   Dou-ouble-Main, lisez vous-même.

DOUBLE-MAIN, *prenant le papier*

Et c'est le plus sûr, car souvent les parties dé-
guisent en lisant. (*Il lit.*) E. e. e. *damoiselle* e. e. e.
de Verte-Allure e. e. e.   Ha! *laquelle somme je lui*
rendrai à sa réquisition, dans ce château... ET...
15 *OU... ET... OU...* Le mot est si mal écrit... il
y a un pâté...

BRID'OISON

Un pâ-âté? je sais ce que c'est.

BARTHOLO, *plaidant*

Je soutiens, moi, que c'est la conjonction copula-

tive ET qui lie les membres corrélatifs de la phrase:
je paierai la demoiselle, ET je l'épouserai.

FIGARO, *plaidant*

Je soutiens, moi, que c'est la conjonction alterna-
tive OU qui sépare lesdits membres: je paierai la
donzelle, OU je l'épouserai; à pédant, pédant et 5
demi; qu'il s'avise de parler latin, j'y suis grec; je
l'extermine.

LE COMTE

Comment juger pareille question?

BARTHOLO

Pour la trancher, Messieurs, et ne plus chicaner
sur un mot, nous passons qu'il y ait OU. 10

FIGARO

J'en demande acte.

BARTHOLO

Et nous y adhérons. Un si mauvais refuge ne
sauvera pas le coupable: examinons le titre en ce
sens. (*Il lit.*) *Laquelle somme je lui rendrai dans ce
château où je l'épouserai;* c'est ainsi qu'on dirait, 15
Messieurs: *vous vous ferez saigner dans ce lit* où *vous
resterez chaudement;* c'est dans lequel. *Il prendra
deux gros de rhubarbe* où *vous mêlerez un peu de tama-
rin;* dans lesquels on mêlera. Ainsi *château* où *je
l'épouserai,* Messieurs, *c'est château dans lequel* . . . 20

FIGARO

Point du tout; la phrase est dans le sens de celle-ci:

ou *la maladie vous tuera*, ou *ce sera le médecin;* ou bien *le médecin*, c'est incontestable. Autre exemple: ou *vous n'écrirez rien qui plaise*, ou *les sots vous dénigreront;* ou bien *les sots*, le sens est clair: car, audit cas,
5 *sots* ou *méchants* sont le substantif qui gouverne. Maître Bartholo croit-il donc que j'aie oublié ma syntaxe? Ainsi, je la paierai dans ce château, *virgule, ou* je l'épouserai . . .

BARTHOLO, vite

Sans virgule.

FIGARO, vite

10   Elle y est. C'est *virgule*, Messieurs, *ou bien je l'épouserai.*

BARTHOLO, regardant le papier, vite

Sans virgule, Messieurs.

FIGARO, vite

Elle y était, Messieurs. D'ailleurs, l'homme qui épouse est-il tenu de rembourser?

BARTHOLO, vite

15   Oui; nous nous marions séparés de biens.

FIGARO, vite

Et nous de corps, dès que le mariage n'est pas quittance.   (*Les juges se lèvent et opinent tout bas.*)

BARTHOLO

Plaisant acquittement.

DOUBLE-MAIN

Silence, Messieurs!

L'HUISSIER, *glapissant*

Silence!

BARTHOLO

Un pareil fripon appelle cela payer ses dettes !

FIGARO

Est-ce votre cause, Avocat, que vous plaidez?

BARTHOLO

Je défends cette demoiselle.

FIGARO

Continuez à déraisonner, mais cessez d'injurier. 5
Lorsque, craignant l'emportement des plaideurs, les
tribunaux ont toléré qu'on appelât des tiers, ils
n'ont pas entendu que ces défenseurs modérés deviendraient impunément des insolents privilégiés.
C'est dégrader le plus noble institut. 10

(*Les juges continuent d'opiner bas.*)

ANTONIO, *à Marceline, montrant les juges*

Qu'ont-ils à balbucifier?

MARCELINE

On a corrompu le grand juge, il corrompt l'autre,
et je perds mon procès.

BARTHOLO, *bas, d'un ton sombre*

J'en ai peur.

FIGARO, *gaiement*

Courage, Marceline! 15

DOUBLE-MAIN *se lève; à Marceline*

Ah! c'est trop fort! Je vous dénonce, et, pour

l'honneur du tribunal, je demande qu'avant faire droit sur l'autre affaire il soit prononcé sur celle-ci.

LE COMTE *s'assied*

Non, Greffier, je ne prononcerai point sur mon injure personnelle. Un juge espagnol n'aura point
5 à rougir d'un excès digne au plus des tribunaux asiatiques; c'est assez des autres abus. J'en vais corriger un second en vous motivant mon arrêt: tout juge qui s'y refuse est un grand ennemi des lois! Que peut requérir la demanderesse? Mariage à
10 défaut de paiement; les deux ensemble impliqueraient.

DOUBLE-MAIN
Silence, Messieurs!

L'HUISSIER, *glapissant*
Silence!

LE COMTE
Que nous répond le défendeur? qu'il veut garder
15 sa personne; à lui permis.

FIGARO, *avec joie*
J'ai gagné.

LE COMTE
Mais, comme le texte dit: *laquelle somme je paierai à la première réquisition, ou bien j'épouserai, etc.*, la cour condamne le défendeur à payer deux
20 mille piastres fortes à la demanderesse, ou bien à l'épouser dans le jour. (*Il se lève.*)

FIGARO, *stupéfait*

J'ai perdu.

ANTONIO, *avec joie*

Superbe arrêt.

FIGARO

En quoi superbe?

ANTONIO

En ce que tu n'es plus mon neveu. Grand merci, Monseigneur! 5

L'HUISSIER, *glapissant*

Passez, Messieurs. (*Le peuple sort.*)

ANTONIO

Je m'en vas tout conter à ma nièce. (*Il sort.*)

SCÈNE XVI

LE COMTE, *allant de côté et d'autre;* MARCELINE, BAR-THOLO, FIGARO, BRID'OISON

MARCELINE *s'assied*

Ah! je respire.

FIGARO

Et moi, j'étouffe.

LE COMTE, *à part*

Au moins, je suis vengé; cela soulage. 10

FIGARO, *à part*

Et ce Bazile qui devait s'opposer au mariage de Marceline, voyez comme il revient! (*Au Comte qui sort.*) Monseigneur, vous nous quittez?

LE COMTE

Tout est jugé.

FIGARO, *à Brid'oison*

C'est ce gros enflé de conseiller . . .

BRID'OISON

Moi, gro-os enflé!

FIGARO

Sans doute. Et je ne l'épouserai pas: je suis
5 gentilhomme une fois. (*Le Comte s'arrête.*)

BARTHOLO

Vous l'épouserez.

FIGARO

Sans l'aveu de mes nobles parents?

BARTHOLO

Nommez-les, montrez-les.

FIGARO

Qu'on me donne un peu de temps; je suis bien
10 près de les revoir: il y a quinze ans que je les cherche.

BARTHOLO

Le fat! c'est quelque enfant trouvé!

FIGARO

Enfant perdu, Docteur; ou plutôt enfant volé.

LE COMTE *revient*

Volé, perdu? La preuve. Il crierait qu'on lui
fait injure!

FIGARO

15 Monseigneur, quand les langes à dentelles, tapis

brodés et joyaux d'or trouvés sur moi par les brigands n'indiqueraient pas ma haute naissance, la
précaution qu'on avait prise de me faire des marques
distinctives témoignerait assez combien j'étais un
fils précieux: et cet hiéroglyphe à mon bras ... (*Il*
veut se dépouiller le bras droit.)

MARCELINE, *se levant vivement*

Une spatule à ton bras droit?

FIGARO

D'où savez-vous que je dois l'avoir?

MARCELINE

Dieux! c'est lui!

FIGARO

Oui, c'est moi.

BARTHOLO, *à Marceline*

Et qui? lui!

MARCELINE, *vivement*

C'est Emmanuel.

BARTHOLO, *à Figaro*

Tu fus enlevé par des bohémiens?

FIGARO, *exalté*

Tout près d'un château. Bon Docteur, si vous
me rendez à ma noble famille, mettez un prix à ce
service; des monceaux d'or n'arrêteront pas mes
illustres parents.

BARTHOLO, *montrant Marceline*

Voilà ta mère.

FIGARO

... Nourrice?

BARTHOLO

Ta propre mère.

LE COMTE

Sa mère!

FIGARO

Expliquez-vous.

MARCELINE, *montrant Bartholo*

5   Voilà ton père.

FIGARO, *désolé*

O o oh! aïe de moi!

MARCELINE

Est-ce que la nature ne te l'a pas dit mille fois?

FIGARO

Jamais.

LE COMTE, *à part*

Sa mère!

BRID'OISON

10   C'est clair, i-il ne l'épousera pas.

☞ BARTHOLO[1]

Ni moi non plus.

MARCELINE

Ni vous! Et votre fils?   Vous m'aviez juré ...

---

[1] Ce qui suit, enfermé entre ces deux index, a été retranché par les Comédiens Français aux représentations de Paris.

BARTHÓLO

J'étais fou. Si pareils souvenirs engageaient, on serait tenu d'épouser tout le monde.

BRID'OISON

E-et si l'on y regardait de si près, per-ersonne n'épouserait personne.

BARTHOLO

Des fautes si connues! une jeunesse déplorable! 5

MARCELINE, *s'échauffant par degrés*

Oui, déplorable, et plus qu'on ne croit. Je n'entends pas nier mes fautes, ce jour les a trop bien prouvées! Mais qu'il est dur de les expier après trente ans d'une vie modeste! J'étais née, moi, pour être sage, et je la suis devenue sitôt qu'on m'a 10 permis d'user de ma raison. Mais, dans l'âge des illusions, de l'inexpérience et des besoins, où les séducteurs nous assiègent, pendant que la misère nous poignarde, que peut opposer une enfant à tant d'ennemis rassemblés? Tel nous juge ici 15 sévèrement, qui, peut-être, en sa vie a perdu dix infortunées !

FIGARO

Les plus coupables sont les moins généreux; c'est la règle.

MARCELINE, *vivement*

Hommes plus qu'ingrats, qui flétrissez par le 20 mépris les jouets de vos passions, vos victimes! c'est vous qu'il faut punir des erreurs de notre

jeunesse; vous et vos magistrats, si vains du droit de
nous juger, et qui nous laissent enlever, par leur
coupable négligence, tout honnête moyen de subsister.   Est-il un seul état pour les malheureuses
5 filles?   Elles avaient un droit naturel à toute la
parure des femmes; on y laisse former mille ouvriers
de l'autre sexe.

FIGARO, *en colère*

Ils font broder jusqu'aux soldats!

MARCELINE, *exaltée*

Dans les rangs même plus élevés, les femmes
10 n'obtiennent de vous qu'une considération dérisoire:
leurrées de respects apparents, dans une servitude
réelle; traitées en mineures pour nos biens, punies
en majeures pour nos fautes!   Ah! sous tous les
aspects, votre conduite avec nous fait horreur ou
15 pitié.

FIGARO

Elle a raison!

LE COMTE, *à part*

Que trop raison!

BRID'OISON

Elle a, mon-on Dieu, raison.

MARCELINE

Mais que nous font, mon fils, les refus d'un
20 homme injuste?   Ne regarde pas d'où tu viens,
vois où tu vas; cela seul importe à chacun.   Dans
quelques mois ta fiancée ne dépendra plus que d'elle-

même; elle t'acceptera, j'en réponds: vis entre une
épouse, une mère tendres, qui te chériront à qui
mieux mieux. Sois indulgent pour elles, heureux
pour toi, mon fils; gai, libre et bon pour tout le
monde: il ne manquera rien à ta mère.   5

FIGARO

Tu parles d'or, maman, et je me tiens à ton avis.
Qu'on est sot, en effet! Il y a des mille mille ans
que le monde roule, et dans cet océan de durée où
j'ai, par hasard, attrappé quelques chétifs trente ans
qui ne reviendront plus, j'irais me tourmenter pour 10
savoir à qui je les dois! Tant pis pour qui s'en
inquiète! Passer ainsi la vie à chamailler, c'est
peser sur le collier sans relâche comme les malheureux chevaux de la remonte des fleuves, qui ne reposent pas, même quand ils s'arrêtent, et qui tirent 15
toujours, quoiqu'ils cessent de marcher. Nous
attendrons.

LE COMTE

Sot événement qui me dérange!

BRID'OISON, *à Figaro*

Et la noblesse et le château? Vous impo-osez
à la justice.   20

FIGARO

Elle allait me faire faire une belle sottise, la justice! après que j'ai manqué, pour ces maudits cent
écus, d'assommer vingt fois Monsieur, qui se trouve
aujourd'hui mon père! Mais, puisque le Ciel a

sauvé ma vertu de ces dangers, mon père, agréez
mes excuses... Et vous, ma mère, embrassez-moi
...le plus maternellement que vous pourrez.

(*Marceline lui saute au cou.*)

Scène XVII

BARTHOLO, FIGARO, MARCELINE, BRID'OISON,
SUZANNE, ANTONIO, LE COMTE

SUZANNE, *accourant, une bourse à la main*
5 Monseigneur, arrêtez; qu'on ne les marie pas:
je viens payer Madame avec la dot que ma maîtresse
me donne.

LE COMTE, *à part*
Au diable la maîtresse! Il semble que tout con-
spire...

(*Il sort.*)

Scène XVIII

BARTHOLO, ANTONIO, SUZANNE, FIGARO,
MARCELINE, BRID'OISON

ANTONIO, *voyant Figaro embrasser sa mère, dit
à Suzanne*
10 Ah! oui, payer! Tiens, tiens.

SUZANNE *se retourne*
J'en vois assez: sortons, mon oncle.

FIGARO *l'arrêtant*
Non, s'il vous plaît. Que vois-tu donc?

SUZANNE

Ma bêtise et ta lâcheté.

FIGARO

Pas plus de l'une que de l'autre.

SUZANNE, *en colère*

Et que tu l'épouses à gré, puisque tu la caresses.

FIGARO, *gaiement*

Je la caresse, mais je ne l'épouse pas.

(*Suzanne veut sortir.   Figaro la retient.*)

SUZANNE *lui donne un soufflet*

Vous êtes bien insolent d'oser me retenir.   5

FIGARO *à la compagnie*

C'est-il ça de l'amour?   Avant de nous quitter,
je t'en supplie, envisage bien cette chère femme-là.

SUZANNE

Je la regarde.

FIGARO

Et tu la trouves?

SUZANNE

Affreuse.   10

FIGARO

Et vive la jalousie! elle ne vous marchande pas.

MARCELINE, *les bras ouverts*

Embrasse ta mère, ma jolie Suzannette.   Le méchant qui te tourmente est mon fils.

SUZANNE *court à elle*

Vous, sa mère!   (*Elles restent dans les bras l'une de l'autre.*)

ANTONIO

C'est donc de tout à l'heure?

FIGARO

. . . Que je le sais.

MARCELINE, *exaltée*

5   Non, mon cœur entraîné vers lui ne se trompait que de motif; c'était le sang qui me parlait.

FIGARO

Et moi, le bon sens, ma mère, qui me servait d'instinct quand je vous refusais, car j'étais loin de vous haïr; témoin l'argent . . .

MARCELINE *lui remet un papier*

10   Il est à toi; reprends ton billet, c'est ta dot.

SUZANNE *lui jette la bourse*

Prends encore celle-ci.

FIGARO

Grand merci.

MARCELINE, *exaltée*

Fille assez malheureuse, j'allais devenir la plus misérable des femmes, et je suis la plus fortunée
15 des mères! Embrassez-moi, mes deux enfants; j'unis en vous toutes mes tendresses. Heureuse autant que je puis l'être, ah! mes enfants, combien je vais aimer!

FIGARO, *attendri, avec vivacité*

Arrête donc, chère mère! arrête donc! Voudrais-tu
voir se fondre en eau mes yeux noyés des premières
larmes que je connaisse? Elles sont de joie, au
moins. Mais quelle stupidité! j'ai manqué d'en
être honteux; je les sentais couler entre mes doigts; 5
regarde (*il montre ses doigts écartés*); et je les rete-
nais bêtement! Va te promener, la honte! Je veux
rire et pleurer en même temps; on ne sent pas deux
fois ce que j'éprouve. (*Il embrasse sa mère d'un
côté, Suzanne de l'autre.*[1]) 10

MARCELINE

O mon ami!

SUZANNE

Mon cher ami!

BRID'OISON, *s'essuyant les yeux d'un mouchoir*

Eh bien, moi, je suis donc bê-ête aussi!

FIGARO, *exalté*

Chagrin, c'est maintenant que je puis te défier!
Atteins-moi, si tu l'oses, entre ces deux femmes 15
chéries.

ANTONIO, *à Figaro*

Pas tant de cajoleries, s'il vous plaît. En fait
de mariage dans les familles, celui des parents va
devant, savez! Les vôtres se baillent-ils la main?

BARTHOLO

Ma main? puisse-t-elle se dessécher et tomber si 20
jamais je la donne à la mère d'un tel drôle!

[1] Bartholo, Antonio, Suzanne, Figaro, Marceline, Brid'oison.

ANTONIO, *à Bartholo*

Vous n'êtes donc qu'un père marâtre?   (*A Figaro.*)
En ce cas, not' galant, plus de parole.

SUZANNE

Ah, mon oncle!...

ANTONIO

Irai-je donner l'enfant de not' sœur à sti qui n'est
5 l'enfant de personne?

BRID'OISON

Est-ce que cela-a se peut, imbécile? on-on est
toujours l'enfant de quelqu'un.

ANTONIO

Tarare!... il ne l'aura jamais.   (*Il sort.*)

SCÈNE XIX

BARTHOLO, SUZANNE, FIGARO, MARCELINE,
BRID'OISON

BARTHOLO, *à Figaro*

Et cherche à présent qui t'adopte.   (*Il veut sortir.*)

MARCELINE, *courant prendre Bartholo à bras-le-
corps, le ramène*

10 Arrêtez, Docteur, ne sortez pas!

FIGARO, *à part*

Non, tous les sots de l'Andalousie sont, je crois,
déchaînés contre mon pauvre mariage!

SUZANNE,[1] *à Bartholo*

Bon petit papa, c'est votre fils.

MARCELINE, *à Bartholo*

De l'esprit, des talents, de la figure.

FIGARO, *à Bartholo*

Et qui ne vous a pas coûté une obole.

BARTHOLO

Et les cent écus qu'il m'a pris?

MARCELINE, *le caressant*

Nous aurons tant de soin de vous, papa!   5

SUZANNE, *le caressant*

Nous vous aimerons tant, petit papa!

BARTHOLO, *attendri*

Papa! bon papa! petit papa! voilà que je suis plus bête encore que Monsieur, moi. (*Montrant Brid'oison.*) Je me laisse aller comme un enfant. (*Marceline et Suzanne l'embrassent.*) Oh! non, je 10 n'ai pas dit oui. (*Il se retourne.*) Qu'est donc devenu Monseigneur?

FIGARO

Courons le joindre; arrachons-lui son dernier mot. S'il machinait quelque autre intrigue, il faudrait tout recommencer.   15

TOUS *ensemble*

Courons, courons.

(*Ils entraînent Bartholo dehors.*)

---

[1] Suzanne, Bartholo, Marceline, Figaro, Brid'oison.

Scène XX

BRID'OISON, *seul*

Plus bê-ête encore que Monsieur! On peut se dire à soi-même ces-es sortes de choses-là, mais... I-ils ne sont pas polis du tout dans-ans cet endroit-ci. (*Il sort.*)

FIN DU TROISIÈME ACTE

ACTE IV

Le théâtre représente une galerie ornée de candélabres, de lustres allumés, de fleurs, de guirlandes, en un mot préparée pour donner une fête. Sur le devant, à droite, est une table avec une écritoire, un fauteuil derrière.

SCÈNE PREMIÈRE

FIGARO, SUZANNE

FIGARO, *la tenant à bras-le-corps*

Hé bien! amour, es-tu contente? Elle a converti son docteur, cette fine langue dorée de ma mère! Malgré sa répugnance, il l'épouse, et ton bourru d'oncle est bridé; il n'y a que Monseigneur qui rage, car enfin notre hymen va devenir le prix du leur. 5 Ris donc un peu de ce bon résultat.

SUZANNE

As-tu rien vu de plus étrange?

FIGARO

Ou plutôt d'aussi gai. Nous ne voulions qu'une dot arrachée à l'Excellence; en voilà deux dans nos mains, qui ne sortent pas des siennes. Une rivale 10 acharnée te poursuivait; j'étais tourmenté par une furie! tout cela s'est changé pour nous dans *la plus bonne* des mères. Hier j'étais comme seul au monde, et voilà que j'ai tous mes parents; pas si magnifiques, il est vrai, que je me les étais galonnés, mais assez bien pour nous, qui n'avons pas la vanité des riches.

SUZANNE

Aucune des choses que tu avais disposées, que nous attendions, mon ami, n'est pourtant arrivée!

FIGARO

5 Le hasard a mieux fait que nous tous, ma petite. Ainsi va le monde: on travaille, on projette, on arrange d'un côté; la fortune accomplit de l'autre: et depuis l'affamé conquérant qui voudrait avaler la terre, jusqu'au paisible aveugle qui se laisse mener 10 par son chien, tous sont le jouet de ses caprices; encore l'aveugle au chien est-il souvent mieux conduit, moins trompé dans ses vues, que l'autre aveugle avec son entourage. Pour cet aimable aveugle, qu'on nomme Amour ... (*Il la reprend* 15 *tendrement à bras-le-corps.*)

SUZANNE

Ah! c'est le seul qui m'intéresse!

FIGARO

Permets donc que, prenant l'emploi de la Folie, je sois le bon chien qui le mène à ta jolie mignonne porte, et nous voilà logés pour la vie.

SUZANNE, *riant*

20 L'Amour et toi?

FIGARO

Moi et l'Amour.

SUZANNE

Et vous ne chercherez pas d'autre gîte?

FIGARO

Si tu m'y prends, je veux bien que mille millions de
galants . . .

SUZANNE

Tu vas exagérer: dis ta bonne vérité.

FIGARO

Ma vérité la plus vraie!   5

SUZANNE

Fi donc, vilain! en a-t-on plusieurs?

FIGARO

Oh! que oui. Depuis qu'on a remarqué qu'avec
le temps vieilles folies deviennent sagesse, et qu'an-
ciens petits mensonges assez mal plantés ont produit de grosses, grosses vérités, on en a de mille 10
espèces. Et celles qu'on fait sans oser les divulguer,
car toute vérité n'est pas bonne à dire; et celles
qu'on vante sans y ajouter foi, car toute vérité n'est
pas bonne à croire; et les serments passionnés, les
menaces des mères, les protestations des buveurs, 15
les promesses des gens en place, le dernier mot de
nos marchands: cela ne finit pas. Il n'y a que mon
amour pour Suzon qui soit une vérité de bon aloi.

SUZANNE

J'aime ta joie, parce qu'elle est folle; elle annonce que tu es heureux. Parlons du rendez-vous 20
du Comte.

FIGARO

Ou plutôt, n'en parlons jamais; il a failli me coûter Suzanne.

SUZANNE

Tu ne veux donc plus qu'il ait lieu?

FIGARO

Si vous m'aimez, Suzon, votre parole d'honneur
5 sur ce point: qu'il s'y morfonde, et c'est sa punition.

SUZANNE

Il m'en a plus coûté de l'accorder que je n'ai de peine à le rompre; il n'en sera plus question.

FIGARO

Ta bonne vérité?

SUZANNE

Je ne suis pas comme vous autres savants; moi,
10 je n'en ai qu'une.

FIGARO

Et tu m'aimeras un peu?

SUZANNE

Beaucoup.

FIGARO

Ce n'est guère.

SUZANNE

Et comment?

FIGARO

15 En fait d'amour, vois-tu, trop n'est pas même assez.

SUZANNE

Je n'entends pas toutes ces finesses; mais je
n'aimerai que mon mari.

FIGARO

Tiens parole, et tu feras une belle exception à
l'usage. (*Il veut l'embrasser.*)

SCÈNE II

FIGARO, SUZANNE, LA COMTESSE

LA COMTESSE

Ah! j'avais raison de le dire; en quelque endroit 5
qu'ils soient, croyez qu'ils sont ensemble.   Allons
donc, Figaro, c'est voler l'avenir, le mariage et vous-
même, que d'usurper un tête-à-tête.   On vous
attend, on s'impatiente.

FIGARO

Il est vrai, Madame, je m'oublie.   Je vais leur 10
montrer mon excuse.

(*Il veut emmener Suzanne.*)

LA COMTESSE *la retient*

Elle vous suit.

SCÈNE III

SUZANNE, LA COMTESSE

LA COMTESSE

As-tu ce qu'il nous faut pour troquer de vêtement?

SUZANNE

Il ne faut rien, Madame; le rendez-vous ne tiendra
pas.

LA COMTESSE

Ah! vous changez d'avis?

SUZANNE

C'est Figaro.

LA COMTESSE

5   Vous me trompez.

SUZANNE

Bonté divine!

LA COMTESSE

Figaro n'est pas homme à laisser échapper une
dot.

SUZANNE

Madame? eh! que croyez-vous donc?

LA COMTESSE

10   Qu'enfin d'accord avec le Comte, il vous fâche à
présent de m'avoir confié ses projets. Je vous sais
par cœur. Laissez-moi.

(*Elle veut sortir.*)

SUZANNE *se jette à genoux*

Au nom du Ciel, espoir de tous! vous ne savez pas,
Madame, le mal que vous faites à Suzanne! après
15 vos bontés continuelles et la dot que vous me
donnez! ...

LA COMTESSE *la relève*

Hé mais ... je ne sais ce que je dis! En me
cédant ta place au jardin, tu n'y vas pas, mon cœur;

tu tiens parole à ton mari, tu m'aides à ramener le
mien.

SUZANNE

Comme vous m'avez affligée!

LA COMTESSE

C'est que je ne suis qu'une étourdie.   (*Elle la
baise au front.*)   Où est ton rendez-vous?   5

SUZANNE *lui baise la main*

Le mot de jardin m'a seule frappée.

LA COMTESSE, *montrant la table*

Prends cette plume, et fixons un endroit.

SUZANNE

Lui écrire!

LA COMTESSE

Il le faut.

SUZANNE

Madame! au moins, c'est vous . . .   10

LA COMTESSE

Je mets tout sur mon compte.   (*Suzanne s'assied,
la Comtesse dicte.*)

«Chanson nouvelle, sur l'air: . . . *Qu'il fera beau,
ce soir, sous les grands marronniers . . . Qu'il fera
beau, ce soir . . .* »   15

SUZANNE *écrit*

Sous les grands marronniers . . .   Après?

LA COMTESSE

Crains-tu qu'il ne t'entende pas?

SUZANNE *relit*

C'est juste.   (*Elle plie le billet.*)   Avec quoi cacheter?

LA COMTESSE

Une épingle, dépêche! elle servira de réponse. Écris sur le revers: *Renvoyez-moi le cachet.*

SUZANNE *écrit en riant*

5   Ah! *le cachet!* ... Celui-ci, Madame, est plus gai que celui du brevet.

LA COMTESSE, *avec un souvenir douloureux*
Ah!

SUZANNE *cherche sur elle*
Je n'ai pas d'épingle, à présent!

LA COMTESSE *détache sa lévite*

Prends celle-ci.   (*Le ruban du page tombe de son*
10 *sein à terre.*)   Ah, mon ruban!

SUZANNE *le ramasse*

C'est celui du petit voleur! Vous avez eu la cruauté? ...

LA COMTESSE

Fallait-il le laisser à son bras? c'eût été joli! Donnez donc!

SUZANNE

15   Madame ne le portera plus, taché du sang de ce jeune homme.

LA COMTESSE *le reprend*

Excellent pour Fanchette ... Le premier bouquet qu'elle m'apportera.

Scène IV

UNE JEUNE BERGÈRE, CHÉRUBIN, *en fille;* FANCHETTE
et beaucoup de Jeunes Filles *habillées comme elle et tenant des
bouquets;* LA COMTESSE, SUZANNE.

FANCHETTE

Madame, ce sont les filles du bourg qui viennent
vous présenter des fleurs.

LA COMTESSE, *serrant vite son ruban*

Elles sont charmantes! Je me reproche, mes
belles petites, de ne pas vous connaître toutes.
(*Montrant Chérubin.*) Quelle est cette aimable   5
enfant qui a l'air si modeste?

UNE BERGÈRE

C'est une cousine à moi, Madame, qui n'est ici
que pour la noce.

LA COMTESSE

Elle est jolie. Ne pouvant porter vingt bouquets,
faisons honneur à l'étrangère. (*Elle prend le bouquet*   10
de Chérubin et le baise au front.) Elle en rougit!
(*A Suzanne.*) Ne trouves-tu pas, Suzon . . . qu'elle
ressemble à quelqu'un?

SUZANNE

A s'y méprendre, en vérité.

CHÉRUBIN, *à part, les mains sur son cœur*

Ah! Ce baiser-là m'a été bien loin!   15

Scène V

Les Jeunes Filles, CHÉRUBIN, *au milieu d'elles;* FANCHETTE,
ANTONIO, LE COMTE, LA COMTESSE, SUZANNE

ANTONIO

Moi, je vous dis, Monseigneur, qu'il y est. Elles
l'ont habillé chez ma fille; toutes ses hardes y sont
encore, et voilà son chapeau d'ordonnance que j'ai
retiré du paquet. (*Il s'avance, et, regardant toutes*
5 *les filles, il reconnaît Chérubin, lui enlève son bonnet*
de femme, ce qui fait retomber ses longs cheveux en
cadenette. Il lui met sur la tête le chapeau d'ordon-
nance et dit:) Eh! parguenne, v'là notre officier!

LA COMTESSE *recule*

Ah! Ciel!

SUZANNE

10 Ce friponneau!

ANTONIO

Quand je disais là-haut que c'était lui!...

LE COMTE, *en colère*

Eh bien, Madame?

COMTESSE

Eh bien, Monsieur, vous me voyez plus surprise
que vous, et, pour le moins, aussi fâchée.

LE COMTE

15 Oui; mais tantôt, ce matin?

LA COMTESSE

Je serais coupable, en effet, si je dissimulais encore. Il était descendu chez moi. Nous entamions le badinage que ces enfants viennent d'achever; vous nous avez surprises l'habillant: votre premier mouvement est si vif! il s'est sauvé, je me suis troublée, 5 l'effroi général a fait le reste.

LE COMTE, *avec dépit, à Chérubin*

Pourquoi n'êtes-vous pas parti?

CHÉRUBIN, *ôtant son chapeau brusquement*

Monseigneur . . .

LE COMTE

Je punirai ta désobéissance.

FANCHETTE, *étourdiment*

Ah! Monseigneur, entendez-moi. Toutes les fois 10 que vous venez m'embrasser, vous savez bien que vous dites toujours: «Si tu veux m'aimer, petite Fanchette, je te donnerai ce que tu voudras.»

LE COMTE, *rougissant*

Moi! j'ai dit cela?

FANCHETTE

Oui, Monseigneur. Au lieu de punir Chérubin, 15 donnez-le-moi en mariage, et je vous aimerai à la folie.

LE COMTE, *à part*

Être ensorcelé par un page!

LA COMTESSE

Hé bien, Monsieur, à votre tour; l'aveu de cette
enfant, aussi naïf que le mien, atteste enfin deux
vérités: que c'est toujours sans le vouloir si je vous
cause des inquiétudes, pendant que vous épuisez
5 tout pour augmenter et justifier les miennes.

ANTONIO

Vous aussi, Monseigneur? Dame! je vous la
redresserai comme feu sa mère, qui est morte...
Ce n'est pas pour la conséquence; mais c'est que
Madame sait bien que les petites filles quand elles
10 sont grandes...

LE COMTE, *déconcerté, à part*

Il y a un mauvais génie qui tourne tout ici contre
moi!

Scène VI

LES JEUNES FILLES, CHÉRUBIN, ANTONIO, FIGARO,
LE COMTE, LA COMTESSE, SUZANNE

FIGARO

Monseigneur, si vous retenez nos filles, on ne
pourra commencer ni la fête ni la danse.

LE COMTE

15 Vous, danser! vous n'y pensez pas. Après votre
chute de ce matin, qui vous a foulé le pied droit!

FIGARO, *remuant la jambe*

Je souffre encore un peu; ce n'est rien. (*Aux
jeunes filles.*) Allons, mes belles, allons!

LE COMTE *le retourne*

Vous avez été fort heureux que ces couches ne
fussent que du terreau bien doux!

FIGARO

Très heureux, sans doute, autrement...

ANTONIO *le retourne*

Puis il s'est pelotonné en tombant jusqu'en bas.

FIGARO

Un plus adroit, n'est-ce pas, serait resté en l'air! 5
(*Aux jeunes filles.*) Venez-vous, Mesdemoiselles?

ANTONIO *le retourne*

Et pendant ce temps le petit page galopait sur son
cheval à Séville?

FIGARO

Galopait, ou marchait au pas!...

LE COMTE *le retourne*

Et vous aviez son brevet dans la poche?   10

FIGARO, *un peu étonné*

Assurément; mais quelle enquête! (*Aux jeunes
filles.*) Allons donc, jeunes filles!

ANTONIO, *attirant Chérubin par le bras*

En voici une qui prétend que mon neveu futur
n'est qu'un menteur.

FIGARO, *surpris*

Chérubin!... (*A part.*) Peste du petit fat!   15

ANTONIO

Y es-tu maintenant?

FIGARO, *cherchant*

J'y suis . . . j'y suis . . . Hé! qu'est-ce qu'il chante?

LE COMTE, *sèchement*

Il ne chante pas; il dit que c'est lui qui a sauté sur les giroflées.

FIGARO, *rêvant*

Ah! s'il le dit . . ., cela se peut! Je ne dispute pas
5 de ce que j'ignore.

LE COMTE

Ainsi vous et lui?

FIGARO

Pourquoi non? la rage de sauter peut gagner: voyez les moutons de Panurge; et, quand vous êtes en colère, il n'y a personne qui n'aime mieux
10 risquer . .

LE COMTE

Comment, deux à la fois! . . .

FIGARO

On aurait sauté deux douzaines; et qu'est-ce que cela fait, Monseigneur, dès qu'il n'y a personne de blessé? (*Aux jeunes filles.*) Ah ça, voulez-vous
15 venir, ou non?

LE COMTE, *outré*

Jouons-nous une comédie? (*On entend un pré-lude de fanfare.*)

FIGARO

Voilà le signal de la marche. A vos postes, les

belles, à vos postes. Allons, Suzanne, donne-moi
le bras.

> (*Tous s'enfuient, Chérubin reste seul, la tête
> baissée.*)

Scène VII

CHÉRUBIN, LE COMTE, LA COMTESSE

LE COMTE, *regardant aller Figaro*

En voit-on de plus audacieux? (*Au page.*) Pour
vous, Monsieur le sournois, qui faites le honteux,
allez vous rhabiller bien vite, et que je ne vous ren- 5
contre nulle part de la soirée.

LA COMTESSE

Il va bien s'ennuyer.

CHÉRUBIN, *étourdiment*

M'ennuyer! J'emporte à mon front du bonheur
pour plus de cent années de prison. (*Il met son chapeau et s'enfuit.*)   10

Scène VIII

LE COMTE, LA COMTESSE

(*La Comtesse s'évente fortement sans parler.*)

LE COMTE

Qu'a-t-il au front de si heureux?

LA COMTESSE, *avec embarras*

Son ... premier chapeau d'officier, sans doute; aux enfants tout sert de hochet.

(*Elle veut sortir.*)

LE COMTE

Vous ne nous restez pas, Comtesse?

LA COMTESSE

Vous savez que je ne me porte pas bien.

LE COMTE

5　Un instant pour votre protégée, ou je vous croirais en colère.

LA COMTESSE

Voici les deux noces, asseyons-nous donc pour les recevoir.

LE COMTE, *à part*

La noce! il faut souffrir ce qu'on ne peut empê-
10 cher.

(*Le Comte et la Comtesse s'assoient vers un des côtés de la galerie.*)

SCÈNE IX

LE COMTE, LA COMTESSE, *assis; l'on joue les* FOLIES D'ESPAGNE *d'un mouvement de marche.*　(Symphonie notée.)

MARCHE

LES GARDES-CHASSE, *fusil sur l'épaule.*
L'ALGUAZIL, LES PRUD'HOMMES, BRID'OISON.
LES PAYSANS et PAYSANNES *en habits de fête.*

Deux Jeunes Filles, *portant la toque virginale à plumes blanches.*

Deux autres, *le voile blanc.*

Deux autres, *les gants et le bouquet de côté.*

Antonio *donne la main à Suzanne, comme étant celui qui la marie à Figaro.* 5

D'autres Jeunes Filles *portent une autre toque, un autre voile, un autre bouquet blanc, semblables aux premiers, pour Marceline.*

Figaro *donne la main à Marceline, comme celui qui doit la remettre au Docteur, lequel ferme la marche, un gros bouquet au côté. Les jeunes filles, en passant devant le Comte, remettent à ses valets tous* 10 *les ajustements destinés à Suzanne et à Marceline.*

Les Paysans et Paysannes *s'étant rangés sur deux colonnes à chaque côté du salon, on danse une reprise du fandango (air noté), avec des castagnettes; puis on joue la ritournelle du duo, pendant laquelle Antonio conduit Suzanne au Comte; elle se met à genoux devant lui.* 15 *Pendant que le Comte lui pose la toque, le voile, et lui donne le bouquet, deux jeunes filles chantent le duo suivant. (Air noté.)*

> Jeune épouse, chantez les bienfaits et la gloire
> D'un maître qui renonce aux droits qu'il eut sur vous;
> Préférant au plaisir la plus noble victoire, 20
> Il vous rend chaste et pure aux mains de votre époux.

Suzanne *est à genoux, et, pendant les derniers vers du duo, elle tire le Comte par son manteau et lui montre le billet qu'elle tient; puis elle porte la main qu'elle a du côté des spectateurs à sa tête, où le Comte a l'air d'ajuster sa toque; elle lui donne le billet.* 25

Le Comte *le met furtivement dans son sein; on achève de chanter le duo; la fiancée se relève et lui fait une grande révérence.*

Figaro *vient la recevoir des mains du Comte et se retire avec elle à l'autre côté du salon, près de Marceline. (On danse une autre reprise du fandango pendant ce temps.)* 30

Le Comte, *pressé de lire ce qu'il a reçu, s'avance au bord du théâtre et tire le papier de son sein; mais, en le sortant, il fait le geste d'un homme qui s'est cruellement piqué le doigt; il le secoue, le presse, le suce, et, regardant le papier cacheté d'une épingle, il dit:*

LE COMTE

(*Pendant qu'il parle, ainsi que Figaro, l'orchestre
joue pianissimo.*)

Diantre soit des femmes qui fourrent des épingles
partout! (*Il la jette à terre, puis il lit le billet et le
baise.*)

FIGARO, *qui a tout vu, dit à sa mère et à Suzanne*

C'est un billet doux qu'une fillette aura glissé dans
5 sa main en passant. Il était cacheté d'une épingle
qui l'a outrageusement piqué.

(*La danse reprend. Le Comte, qui a lu le billet, le
retourne; il y voit l'invitation de renvoyer le cachet
pour réponse. Il cherche à terre et retrouve enfin
l'épingle, qu'il attache à sa manche.*)

FIGARO, *à Suzanne et Marceline*

D'un objet aimé tout est cher. Le voilà qui
ramasse l'épingle. Ah! c'est une drôle de tête!

(*Pendant ce temps, Suzanne a des signes d'intelligence
avec la Comtesse. La danse finit, la ritournelle du
duo recommence.*)

(*Figaro conduit Marceline au Comte, ainsi qu'on a
conduit Suzanne, à l'instant où le Comte prend
la toque et où l'on va chanter le duo, on est in-
terrompu par les cris suivants:*)

L'HUISSIER, *criant à la porte*

Arrêtez donc, Messieurs! vous ne pouvez entrer

tous ... Ici les gardes! les gardes! (*Les gardes vont vite à cette porte.*)

LE COMTE, *se levant*

Qu'est-ce qu'il y a?

L'HUISSIER

Monseigneur, c'est monsieur Bazile entouré d'un village entier, parce qu'il chante en marchant.　　5

LE COMTE

Qu'il entre seul.

LA COMTESSE

Ordonnez-moi de me retirer.

LE COMTE

Je n'oublie pas votre complaisance.

LA COMTESSE

Suzanne? ... Elle reviendra. (*A part à Suzanne.*) Allons changer d'habits. (*Elle sort avec Suzanne.*)　10

MARCELINE

Il n'arrive jamais que pour nuire.

FIGARO

Ah! je m'en vais vous le faire déchanter!

SCÈNE X

TOUS LES ACTEURS PRÉCÉDENTS, *excepté la Comtesse et Suzanne;* BAZILE, *tenant sa guitare;* GRIPPE–SOLEIL

BAZILE *entre en chantant sur l'air du vaudeville de la fin*

(Air noté)

Cœurs sensibles, cœurs fidèles,
Qui blâmez l'amour léger,
Cessez vos plaintes cruelles;
Est-ce un crime de changer?
5 Si l'Amour porte des ailes,
N'est-ce pas pour voltiger?
N'est-ce pas pour voltiger?
N'est-ce pas pour voltiger?

FIGARO *s'avance à lui*

Oui, c'est pour cela justement qu'il a des ailes
10 au dos. Notre ami, qu'entendez-vous par cette musique?

BAZILE, *montrant Grippe-Soleil*

Qu'après avoir prouvé mon obéissance à Monseigneur, en amusant Monsieur qui est de sa compagnie, je pourrai, à mon tour, réclamer sa justice.

GRIPPE-SOLEIL

15 Bah! Monsigneu! il ne m'a pas amusé du tout,
avec leux guenilles d'ariettes.

LE COMTE

Enfin, que demandez-vous, Bazile?

BAZILE

Ce qui m'appartient, Monseigneur, la main de
Marceline; et je viens m'opposer . . .

FIGARO *s'approche*

20 Y a-t-il longtemps que Monsieur n'a vu la figure
d'un fou?

BAZILE

Monsieur, en ce moment même.

FIGARO

Puisque mes yeux vous servent si bien de miroir,
étudiez-y l'effet de ma prédiction.   Si vous faites
mine seulement d'approximer Madame . . .

BARTHOLO, *en riant*

Eh! pourquoi? laisse-le parler.   5

BRID'OISON *s'avance entre deux*

Fau-aut-il que deux amis . . . ?

FIGARO

Nous, amis?

BAZILE

Quelle erreur!

FIGARO, *vite*

Parce qu'il fait de plats airs de chapelle?

BAZILE, *vite*

Et lui des vers comme un journal?   10

FIGARO, *vite*

Un musicien de guinguette!

BAZILE, *vite*

Un postillon de gazette!

FIGARO, *vite*

Cuistre d'oratorio!

BAZILE, *vite*

Jockey diplomatique!

LE COMTE, *assis*

Insolents tous les deux!

BAZILE

Il me manque en toute occasion.

FIGARO

C'est bien dit, si cela se pouvait!

BAZILE

Disant partout que je ne suis qu'on sot.

FIGARO

5 Vous me prenez donc pour un écho?

BAZILE

Tandis qu'il n'est pas un chanteur que mon talent n'ait fait briller.

FIGARO

Brailler.

BAZILE

Il le répète!

FIGARO

10 Et pourquoi non, si cela est vrai? Es-tu un prince, pour qu'on te flagorne? Souffre la vérité, coquin, puisque tu n'as pas de quoi gratifier un menteur; ou, si tu la crains de notre part, pourquoi viens-tu troubler nos noces?

BAZILE, *à Marceline*

15 M'avez-vous promis, oui ou non, si dans quatre ans vous n'étiez pas pourvue, de me donner la préférence?

MARCELINE

A quelle condition l'ai-je promis?

BAZILE

Que, si vous retrouviez un certain fils perdu, je
l'adopterais par complaisance.

TOUS *ensemble*

Il est trouvé.

BAZILE

Qu'à cela ne tienne! 5

TOUS *ensemble, montrant Figaro*

Et le voici.

BAZILE, *reculant de frayeur*

J'ai vu le diable!

BRID'OISON, *à Bazile*

Et vou-ous renoncez à sa chère mère!

BAZILE

Qu'y aurait-il de plus fâcheux que d'être cru le
père d'un garnement? 10

FIGARO

D'en être cru le fils; tu te moques de moi!

BAZILE, *montrant Figaro*

Dès que Monsieur est de quelque chose ici, je
déclare, moi, que je n'y suis plus de rien.

(*Il sort.*)

Scène XI

LES ACTEURS PRÉCÉDENTS, *excepté Bazile*

BARTHOLO, *riant*

Ah! ah! ah! ah!

FIGARO, *sautant de joie*

Donc à la fin j'aurai ma femme!

LE COMTE, *à part*

Moi, ma maîtresse.　(*Il se lève.*)

BRID'OISON, *à Marceline*

Et tou-out le monde est satisfait.

LE COMTE

5　Qu'on dresse les deux contrats; j'y signerai.

TOUS *ensemble*

Vivat!　(*Ils sortent.*)

LE COMTE

J'ai besoin d'une heure de retraite.

(*Il veut sortir avec les autres.*)

Scène XII

GRIPPE-SOLEIL, FIGARO, MARCELINE, LE COMTE

GRIPPE-SOLEIL, *à Figaro*

Et moi, je vais aider à ranger le feu d'artifice sous
les grands marronniers, comme on l'a dit.

LE COMTE *revient en courant*

10　Quel sot a donné un tel ordre?

FIGARO

Où est le mal?

LE COMTE, *vivement*

Et la Comtesse qui est incommodée, d'où le verra-t-elle, l'artifice?   C'est sur la terrasse qu'il le faut, vis-à-vis de son appartement.

FIGARO

Tu l'entends, Grippe-Soleil?   la terrasse.   5

LE COMTE

Sous les grands marronniers! belle idée!   (*En s'en allant, à part.*)   Ils allaient incendier mon rendez-vous!

Scène XIII

FIGARO, MARCELINE

FIGARO

Quel excès d'attention pour sa femme!

(*Il veut sortir.*)

MARCELINE *l'arrête*

Deux mots, mon fils.   Je veux m'acquitter avec 10
toi; un sentiment mal dirigé m'avait rendue injuste envers ta charmante femme; je la supposais d'accord avec le Comte, quoique j'eusse appris de Bazile qu'elle l'avait toujours rebuté.

FIGARO

Vous connaissiez mal votre fils de le croire ébranlé 15
par ces impulsions féminines.   Je puis défier la plus rusée de m'en faire accroire.

MARCELINE

Il est toujours heureux de le penser, mon fils; la jalousie . . .

FIGARO

. . . N'est qu'un sot enfant de l'orgueil, ou c'est la maladie d'un fou. Oh! j'ai là-dessus, ma mère, 5 une philosophie . . . imperturbable; et si Suzanne doit me tromper un jour, je le lui pardonne d'avance; elle aura longtemps travaillé . . . . (*Il se retourne et aperçoit Fanchette qui cherche de côté et d'autre.*)

Scène XIV

FIGARO, FANCHETTE, MARCELINE

FIGARO

E-e-eh! . . . ma petite cousine qui nous écoute!

FANCHETTE

10   Oh! pour ça non: on dit que c'est malhonnête.

FIGARO

Il est vrai; mais, comme cela est utile, on fait aller souvent l'un pour l'autre.

FANCHETTE

Je regardais si quelqu'un était là.

FIGARO

Déjà dissimulée, friponne! vous savez bien qu'il 15 n'y peut être.

FANCHETTE

Et qui donc?

FIGARO

Chérubin.

FANCHETTE

Ce n'est pas lui que je cherche, car je sais fort bien où il est; c'est ma cousine Suzanne.

FIGARO

Et que lui veut ma petite cousine?

FANCHETTE

A vous, petit cousin, je le dirai. C'est ... ce n'est 5 qu'une épingle que je veux lui remettre.

FIGARO, *vivement*

Une épingle! une épingle! ... et de quelle part, coquine? A votre âge vous faites déjà un mét ... (*Il se reprend, et dit d'un ton doux.*) Vous faites déjà très bien tout ce que vous entreprenez, Fan- 10 chette; et ma jolie cousine est si obligeante ...

FANCHETTE

A qui donc en a-t-il de se fâcher? je m'en vais.

FIGARO, *l'arrêtant*

Non, non, je badine; tiens, ta petite épingle est celle que Monseigneur t'a dit de remettre à Suzanne, et qui servait à cacheter un petit papier qu'il tenait; 15 tu vois que je suis au fait.

FANCHETTE

Pourquoi donc le demander, quand vous le savez si bien?

FIGARO, *cherchant*

C'est qu'il est assez gai de savoir comment Monseigneur s'y est pris pour t'en donner la commission.

FANCHETTE, *naïvement*

Pas autrement que vous le dites: *Tiens, petite Fanchette, rends cette épingle à ta belle cousine, et* 5 *dis-lui seulement que c'est le cachet des grands marronniers.*

FIGARO

Des grands . . . ?

FANCHETTE

Marronniers. Il est vrai qu'il a ajouté: *Prends garde que personne ne te voie.*

FIGARO

10 Il faut obéir, ma cousine; heureusement personne ne vous a vue. Faites donc joliment votre commission, et n'en dites pas plus à Suzanne que Monseigneur n'a ordonné.

FANCHETTE

Et pourquoi lui en dirais-je plus? Il me prend 15 pour un enfant, mon cousin. (*Elle sort en sautant.*)

SCÈNE XV

FIGARO, MARCELINE

FIGARO

Eh bien, ma mère?

MARCELINE

Eh bien, mon fils?

FIGARO, *comme étouffé*

Pour celui-ci!... il y a réellement des choses!...

MARCELINE

Il y a des choses! Hé! qu'est-ce qu'il y a?

FIGARO, *les mains sur la poitrine*

Ce que je viens d'entendre, ma mère, je l'ai là
comme un plomb.   5

MARCELINE, *riant*

Ce cœur plein d'assurance n'était donc qu'un
ballon gonflé? une épingle a tout fait partir!

FIGARO, *furieux*

Mais cette épingle, ma mère, est celle qu'il a
ramassée!...

MARCELINE, *rappelant ce qu'il a dit*

La jalousie! Oh! j'ai là-dessus, ma mère, une 10
philosophie... imperturbable; et, si Suzanne m'at-
trape un jour, je le lui pardonne...

FIGARO, *vivement*

Oh! ma mère! on parle comme on sent: mettez
le plus glacé des juges à plaider dans sa propre cause,
et voyez-le expliquer la loi!—Je ne m'étonne plus s'il 15
avait tant d'humeur sur ce feu!—Pour la mignonne
aux fines épingles, elle n'en est pas où elle le croit,
ma mère, avec ses marronniers! Si mon mariage est
assez fait pour légitimer ma colère, en revanche il

ne l'est pas assez pour que je n'en puisse épouser une
autre et l'abandonner . . .

MARCELINE

Bien conclu! Abîmons tout sur un soupçon!
Qui t'a prouvé, dis-moi, que c'est toi qu'elle joue,
5 et non le Comte? L'as-tu étudiée de nouveau, pour
la condamner sans appel? Sais-tu si elle se rendra
sous les arbres, à quelle intention elle y va; ce
qu'elle y dira, ce qu'elle y fera? Je te croyais
plus fort en jugement!

FIGARO, *lui baisant la main avec respect*

10 Elle a raison, ma mère; elle a raison, raison,
toujours raison! Mais accordons, maman, quelque
chose à la nature; on en vaut mieux après. Examinons, en effet, avant d'accuser et d'agir. Je sais où
est le rendez-vous. Adieu, ma mère! (*Il sort.*)

Scène XVI

MARCELINE, *seule*

15 Adieu. Et moi aussi je le sais. Après l'avoir arrêté, veillons sur les voies de Suzanne, ou plutôt
avertissons-la; elle est si jolie créature! Ah! quand
l'intérêt personnel ne nous arme pas les unes contre
les autres, nous sommes toutes portées à soutenir
20 notre pauvre sexe opprimé contre ce fier, ce terrible . . . (*en riant*) et pourtant un peu nigaud de
sexe masculin. (*Elle sort.*)

FIN DU QUATRIÈME ACTE

ACTE V

Le théâtre représente une salle de marronniers dans un parc; deux
pavillons, kiosques ou temples de jardins, sont à droite et à gauche;
le fond est une clairière ornée, un siège de gazon sur le devant. Le
théâtre est obscur.

Scène Première

FANCHETTE, *seul, tenant d'une main deux biscuits et une
orange, et de l'autre une lanterne de papier allumée*

Dans le pavillon à gauche, a-t-il dit. C'est
celui-ci. S'il allait ne pas venir à présent, mon
petit rôle ... Ces vilaines gens de l'office qui ne
voulaient pas seulement me donner une orange et
deux biscuits ! — «Pour qui, Mademoiselle? — Eh 5
bien, Monsieur, c'est pour quelqu'un. — Oh! nous
savons.» Et quand ça serait; parce que Monseigneur ne veut pas le voir, faut-il qu'il meure de faim?
Tout ça pourtant m'a coûté un fier baiser sur la
joue! ... Que sait-on? Il me le rendra peut-être. 10
(*Elle voit Figaro qui vient l'examiner; elle fait un
cri.*) Ah! ... (*Elle s'enfuit, et elle entre dans le
pavillon à sa gauche.*)

Scène II

FIGARO, *un grand manteau sur les épaules, un large chapeau
rabattu;* BAZILE, ANTONIO, BARTHOLO, BRID'OISON,
GRIPPE-SOLEIL, Troupe de Valets et de Travailleurs

FIGARO, *d'abord seul*

C'est Fanchette! (*Il parcourt des yeux les autres à mesure qu'ils arrivent, et dit d'un ton farouche:*) Bonjour, Messieurs, bonsoir; êtes-vous tous ici?

BAZILE

Ceux que tu as pressés d'y venir.

FIGARO

5 Quelle heure est-il bien à peu près?

ANTONIO *regarde en l'air*

La lune devrait être levée.

BARTHOLO

Eh! quels noirs apprêts fais-tu donc? Il a l'air d'un conspirateur!

FIGARO, *s'agitant*

N'est-ce pas pour une noce, je vous prie, que vous 10 êtes rassemblés au château?

BRID'OISON

Cè-ertainement.

ANTONIO

Nous allions là-bas, dans le parc, attendre un signal pour ta fête.

FIGARO

Vous n'irez pas plus loin, Messieurs; c'est ici, 15 sous ces marronniers, que nous devons tous célébrer l'honnête fiancée que j'épouse et le loyal seigneur qui se l'est destinée.

BAZILE, *se rappelant la journée*

Ah! vraiment, je sais ce que c'est. Retirons-
nous, si vous m'en croyez: il est question d'un
rendez-vous; je vous conterai cela près d'ici.

BRID'OISON, *à Figaro*

Nou-ous reviendrons.

FIGARO

Quand vous m'entendrez appeler, ne manquez 5
pas d'accourir tous, et dites du mal de Figaro, s'il
ne vous fait voir une belle chose.

BARTHOLO

Souviens-toi qu'un homme sage ne se fait point
d'affaire avec les grands.

FIGARO

Je m'en souviens.   10

BARTHOLO

Qu'ils ont quinze et bisque sur nous, par leur
état.

FIGARO

Sans leur industrie, que vous oubliez. Mais
souvenez-vous aussi que l'homme qu'on sait timide
est dans la dépendance de tous les fripons.   15

BARTHOLO

Fort bien.

FIGARO

Et que j'ai nom *de Verte-Allure* du chef honoré
de ma mère.

BARTHOLO

Il a le diable au corps.

BRID'OISON

I-il l'a.

BAZILE, *à part*

Le Comte et sa Suzanne se sont arrangés sans moi? Je ne suis pas fâché de l'algarade.

FIGARO, *aux valets*

5 Pour vous autres, coquins, à qui j'ai donné l'ordre, illuminez-moi ces entours, ou, par la mort que je voudrais tenir aux dents, si j'en saisis un par le bras . . . (*Il secoue le bras de Grippe-Soleil.*)

GRIPPE-SOLEIL, *s'en va en criant et pleurant*

A, a, o, oh! Dammé brutal!

BAZILE, *en s'en allant*

10 Le Ciel vous tienne en joie, Monsieur du marié!
(*Ils sortent.*)

Scène III

FIGARO, *seul, se promenant dans l'obscurité, dit du ton le plus sombre*

O femme! femme! femme! créature faible et dé-cevante! . . . nul animal créé ne peut manquer à son instinct; le tien est-il donc de tromper? Après m'avoir obstinément refusé quand je l'en pressais 15 devant sa maîtresse, à l'instant qu'elle me donne sa parole, au milieu même de la cérémonie . . . Il riait

en lisant, le perfide! et moi, comme un benêt!...
Non, Monsieur le comte, vous ne l'aurez pas...
vous ne l'aurez pas... Parce que vous êtes un
grand seigneur, vous vous croyez un grand génie!...
Noblesse, fortune, un rang, des places: tout cela 5
rend si fier! Qu'avez-vous fait pour tant de biens?
Vous vous êtes donné la peine de naître, et rien de
plus; du reste, homme assez ordinaire! tandis que
moi, morbleu! perdu dans la foule obscure il m'a
fallu déployer plus de science et de calculs pour 10
subsister seulement, qu'on n'en a mis depuis cent
ans à gouverner toutes les Espagnes: et vous voulez
jouter!... On vient... c'est elle!... Ce n'est
personne. La nuit est noire en diable et me voilà
faisant le sot métier de mari, quoique je ne le sois 15
qu'à moitié! (*Il s'assied sur un banc.*) Est-il rien
de plus bizarre que ma destinée! Fils de je ne sais
pas qui, volé par des bandits, élevé dans leurs
mœurs, je m'en dégoûte et veux courir une carrière
honnête; et partout je suis repoussé! J'apprends 20
la chimie, la pharmacie, la chirurgie, et tout le
crédit d'un grand seigneur peut à peine me mettre
à la main une lancette vétérinaire! — Las d'attrister
des bêtes malades, et pour faire un métier contraire,
je me jette à corps perdu dans le théâtre; me 25
fussé-je mis une pierre au cou! Je broche une comédie dans les mœurs du sérail. Auteur espagnol, je
crois pouvoir y fronder Mahomet, sans scrupule:
à l'instant, un envoyé... de je ne sais où se plaint

que j'offense dans mes vers la Sublime Porte, la
Perse, une partie de la presqu'île de l'Inde, toute
l'Égypte, les royaumes de Barca, de Tripoli, de
Tunis, d'Alger et de Maroc: et voilà ma comédie
5 flambée, pour plaire aux princes mahométans, dont
pas un, je crois, ne sait lire, et qui nous meurtrissent
l'omoplate en nous disant: *Chiens de Chrétiens!* —
Ne pouvant avilir l'esprit, on se venge en le mal-
traitant. — Mes joues creusaient; mon terme était
10 échu; je voyais de loin arriver l'affreux recors, la
plume fichée dans sa perruque: en frémissant je
m'évertue. Il s'élève une question sur la nature des
richesses, et, comme il n'est pas nécessaire de tenir
les choses pour en raisonner, n'ayant pas un sou,
15 j'écris sur la valeur de l'argent et sur son produit
net; sitôt je vois, du fond d'un fiacre, baisser pour moi
le pont d'un château-fort, à l'entrée duquel je laissai
l'espérance et la liberté. (*Il se lève.*) Que je voudrais
bien tenir un de ces puissants de quatre jours, si
20 légers sur le mal qu'ils ordonnent, quand une bonne
disgrâce a cuvé son orgueil! Je lui dirais . . . que les
sottises imprimées n'ont d'importance qu'aux lieux
où l'on en gêne le cours; que sans la liberté de blâmer
il n'est point d'éloge flatteur, et qu'il n'y a que les
25 petits hommes qui redoutent les petits écrits. (*Il
se rassied.*) Las de nourrir un obscur pensionnaire,
on me met un jour dans la rue; et, comme il faut
dîner quoiqu'on ne soit plus en prison, je taille encore
ma plume et demande à chacun de quoi il est ques-

tion: on me dit que pendant ma retraite écono-
mique il s'est établi dans Madrid un système de
liberté sur la vente des productions, qui s'étend
même à celles de la presse, et que, pourvu que je ne
parle en mes écrits ni de l'autorité, ni du culte, ni de 5
la politique, ni de la morale, ni des gens en place, ni
des corps en crédit, ni de l'Opéra, ni des autres
spectacles, ni de personne qui tienne à quelque
chose, je puis tout imprimer librement, sous l'in-
spection de deux ou trois censeurs. Pour profiter 10
de cette douce liberté, j'annonce un écrit périodique,
et, croyant n'aller sur les brisées d'aucun autre, je
le nomme *Journal inutile.* Pou-ou! je vois s'élever
contre moi mille pauvres diables à la feuille; on me
supprime, et me voilà derechef sans emploi. — Le 15
désespoir m'allait saisir; on pense à moi pour une
place, mais par malheur j'y étais propre: il fallait un
calculateur, ce fut un danseur qui l'obtint. Il ne
me restait plus qu'à voler; je me fais banquier de
pharaon: alors, bonnes gens! je soupe en ville, et 20
les personnes dites *comme il faut* m'ouvrent poliment
leur maison en retenant pour elles les trois quarts
du profit. J'aurais bien pu me remonter; je com-
mençais même à comprendre que pour gagner du
bien le savoir-faire vaut mieux que le savoir. Mais, 25
comme chacun pillait autour de moi en exigeant que
je fusse honnête, il fallut bien périr encore. Pour le
coup je quittais le monde, et vingt brasses d'eau
m'en allaient séparer, lorsqu'un Dieu bienfaisant

m'appelle à mon premier état. Je reprends ma
trousse et mon cuir anglais; puis, laissant la fumée
aux sots qui s'en nourrissent, et la honte au milieu
du chemin, comme trop lourde à un piéton, je vais
5 rasant de ville en ville, et je vis enfin sans souci.
Un grand seigneur passe à Séville; il me reconnaît,
je le marie, et, pour prix d'avoir eu par mes soins
son épouse, il veut intercepter la mienne! Intrigue,
orage à ce sujet. Prêt à tomber dans un abîme, au
10 moment d'épouser ma mère, mes parents m'arrivent
à la file. (*Il se lève en s'échauffant.*) On se débat:
c'est vous, c'est lui, c'est moi, c'est toi; non, ce
n'est pas nous: eh mais! qui donc? (*Il retombe
assis.*) O bizarre suite d'événements! Comment
15 cela m'est-il arrivé? Pourquoi ces choses, et non
pas d'autres? Qui les a fixées sur ma tête? Forcé
de parcourir la route où je suis entré sans le savoir,
comme j'en sortirai sans le vouloir, je l'ai jonchée
d'autant de fleurs que ma gaieté me l'a permis;
20 encore je dis ma gaieté, sans savoir si elle est à moi
plus que le reste, ni même quel est ce *moi* dont je
m'occupe: un assemblage informe de parties incon-
nues, puis un chétif être imbécile, un petit animal
folâtre, un jeune homme ardent au plaisir, ayant
25 tous les goûts pour jouir, faisant tous les métiers pour
vivre; maître ici, valet là, selon qu'il plaît à la fortune; ambitieux par vanité, laborieux par nécessité, mais paresseux ... avec délices! orateur selon
le danger, poète par délassement, musicien par occa-

sion, amoureux par folles bouffées, j'ai tout vu,
tout fait, tout usé. Puis l'illusion s'est détruite,
et, trop désabusé ... Désabusé ! ... Suzon, Suzon,
Suzon! que tu me donnes de tourments ! — J'entends marcher ... On vient. Voici l'instant de la 5
crise.

(*Il se retire près de la première coulisse à sa droite.*)

Scène IV

FIGARO, LA COMTESSE, *avec les habits de Suzon;* SUZANNE,
avec ceux de la comtesse; MARCELINE

SUZANNE, *bas à la comtesse.*
Oui, Marceline m'a dit que Figaro y serait.

MARCELINE
Il y est aussi; baisse la voix.

SUZANNE
Ainsi l'un nous écoute, et l'autre va venir me
chercher; commençons.   10

MARCELINE
Pour n'en pas perdre un mot, je vais me cacher
dans le pavillon. (*Elle entre dans le pavillon où
est entrée Fanchette.*)

Scène V

FIGARO, LA COMTESSE, SUZANNE

SUZANNE, *haut*
Madame tremble! est-ce qu'elle aurait froid?

LA COMTESSE, *haut*

La soirée est humide, je vais me retirer.

SUZANNE, *haut*

Si madame n'avait pas besoin de moi, je prendrais l'air un moment sous ces arbres.

LA COMTESSE, *haut*

C'est le serein que tu prendras.

SUZANNE, *haut*

5   J'y suis toute faite.

FIGARO, *à part*

Ah! oui, le serein!

(*Suzanne se retire près de la coulisse, du côté opposé à Figaro.*)

SCÈNE VI

FIGARO, CHÉRUBIN, LE COMTE, LA COMTESSE, SUZANNE

(*Figaro et Suzanne retirés de chaque côté sur le devant.*)

CHÉRUBIN, *en habit d'officier, arrive en chantant gaiement la reprise de l'air de la romance*

La, la, la, etc.

> J'avais une marraine,
> Que toujours adorai.

LA COMTESSE, *à part*

Le petit page!

CHÉRUBIN *s'arrête*

On se promène ici; gagnons vite mon asile, où la petite Fanchette... C'est une femme!

LA COMTESSE *écoute*

Ah! grands dieux!

CHÉRUBIN *se baisse en regardant de loin*

Me trompai-je? à cette coiffure en plumes qui se dessine au loin dans le crépuscule, il me semble que 5 c'est Suzon.

LA COMTESSE, *à part*

Si le comte arrivait!...

(*Le Comte paraît dans le fond.*)

CHÉRUBIN *s'approche et prend la main de la Comtesse qui se défend*

Oui, c'est la charmante fille qu'on nomme Su-zanne. Eh! pourrais-je m'y méprendre à la douceur de cette main, à ce petit tremblement qui l'a saisie, 10 surtout au battement de mon cœur! (*Il veut y appuyer le dos de la main de la Comtesse, elle la retire.*)

LA COMTESSE, *bas*

Allez-vous-en.

CHÉRUBIN

Si la compassion t'avait conduite exprès dans cet endroit du parc, où je suis caché depuis tantôt!   15

LA COMTESSE

Figaro va venir.

LE COMTE, *s'avançant, dit à part*

N'est-ce pas Suzanne que j'aperçois?

CHÉRUBIN, *à la Comtesse*

Je ne crains point du tout Figaro, car ce n'est pas lui que tu attends.

LA COMTESSE

Qui donc?

LE COMTE, *à part*

Elle est avec quelqu'un.

CHÉRUBIN

5   C'est Monseigneur, friponne, qui t'a demandé ce rendez-vous ce matin, quand j'étais derrière le fauteuil.

LE COMTE, *à part, avec fureur*

C'est encore le page infernal!

FIGARO, *à part*

On dit qu'il ne faut pas écouter!

SUZANNE, *à part*

10   Petit bavard!

LA COMTESSE, *au page*

Obligez-moi de vous retirer.

CHÉRUBIN

Ce ne sera pas au moins sans avoir reçu le prix de mon obéissance.

LA COMTESSE, *effrayée*

Vous prétendez?...

CHÉRUBIN, *avec feu*

15   D'abord vingt baisers pour ton compte, et puis cent pour ta belle maîtresse.

LA COMTESSE

Vous oseriez?

CHÉRUBIN

Oh! que oui, j'oserai! Tu prends sa place auprès de Monseigneur, moi celle du Comte auprès de toi: le plus attrapé, c'est Figaro.

FIGARO, *à part*

Ce brigandeau!   5

SUZANNE, *à part*

Hardi comme un page.

(Chérubin veut embrasser la Comtesse. Le Comte se met entre deux et reçoit le baiser.)

LA COMTESSE, *se retirant*

Ah! Ciel!

FIGARO, *à part, entendant le baiser*

J'épousais une jolie mignonne!

(Il écoute.)

CHÉRUBIN, *tâtant les habits du Comte*

(A part.) C'est Monseigneur. *(Il s'enfuit dans le pavillon où sont entrées Fanchette et Marceline.)*   10

SCÈNE VII

FIGARO, LE COMTE, LA COMTESSE, SUZANNE

FIGARO *s'approche*

Je vais . . .

LE COMTE, *croyant parler au page*
Puisque vous ne redoublez pas le baiser . . .

(*Il croit lui donner un soufflet.*)

FIGARO, *qui est à portée, le reçoit*
Ah!

LE COMTE
. . . Voilà toujours le premier payé.

FIGARO, *à part, s'éloigne en se frottant la joue*
Tout n'est pas gain non plus en écoutant.

SUZANNE, *riant tout haut de l'autre côté*
5   Ah! ah! ah! ah!

LE COMTE, *à la Comtesse, qu'il prend pour
Suzanne*
Entend-on quelque chose à ce page! il reçoit le
plus rude soufflet, et s'enfuit en éclatant de rire.

FIGARO, *à part*
S'il s'affligeait de celui-ci! . . .

LE COMTE
Comment! je ne pourrai faire un pas . . . (*A la*
10 *Comtesse.*)   Mais laissons cette bizarrerie; elle em-
poisonnerait le plaisir que j'ai de te trouver dans
cette salle.

LA COMTESSE, *imitant le parler de Suzanne*
L'espériez-vous?

LE COMTE
Après ton ingénieux billet! (*Il lui prend la main.*)
15 Tu trembles?

LA COMTESSE

J'ai eu peur.

LE COMTE

Ce n'est pas pour te priver du baiser que je l'ai
pris. (*Il la baise au front.*)

LA COMTESSE

Des libertés!

FIGARO, *à part*

Coquine!   5

SUZANNE, *à part*

Charmante!

LE COMTE *prend la main de sa femme*

Mais quelle peau fine et douce, et qu'il s'en faut
que la Comtesse ait la main aussi belle!

LA COMTESSE, *à part*

Oh! la prévention!

LE COMTE

A-t-elle ce bras ferme et rondelet, ces jolis doigts 10
pleins de grâce et d'espièglerie?

LA COMTESSE, *de la voix de Suzanne*

Ainsi l'amour?...

LE COMTE

L'amour... n'est que le roman du cœur; c'est
le plaisir qui en est l'histoire: il m'amène à tes
genoux.   15

LA COMTESSE

Vous ne l'aimez plus?

LE COMTE

Je l'aime beaucoup, mais trois ans d'union ren-
dent l'hymen si respectable!

LA COMTESSE

Que vouliez-vous en elle?

LE COMTE, *la caressant*

Ce que je trouve en toi, ma beauté ...

LA COMTESSE

5   Mais dites donc.

LE COMTE

... Je ne sais: moins d'uniformité peut-être; plus
de piquant dans les manières; un je ne sais quoi qui
fait le charme; quelquefois un refus; que sais-je?
Nos femmes croient tout accomplir en nous aimant.
10 Cela dit une fois, elles nous aiment, nous aiment ...
quand elles nous aiment! ... et sont si complaisantes
et si constamment obligeantes, et toujours, et sans
relâche, qu'on est tout surpris un beau soir de trouver
la satiété où l'on recherchait le bonheur.

LA COMTESSE, *à part*

15 Ah! quelle leçon!

LE COMTE

En vérité, Suzon, j'ai pensé mille fois que, si nous
poursuivions ailleurs ce plaisir qui nous fuit chez
elles, c'est qu'elles n'étudient pas assez l'art de soutenir notre goût, de se renouveler à l'amour, de
20 ranimer, pour ainsi dire, le charme de leur possession par celui de la variété.

LA COMTESSE, *piquée*

Donc elles doivent tout? . . .

LE COMTE, *riant*

Et l'homme rien? Changerons-nous la marche de
la nature? Notre tâche, à nous, fut de les obtenir;
la leur . . .

LA COMTESSE

La leur?   5

LE COMTE

Est de nous retenir: on l'oublie trop.

LA COMTESSE

Ce ne sera pas moi.

LE COMTE

Ni moi.

FIGARO, *à part*

Ni moi.

SUZANNE, *à part*

Ni moi.   10

LE COMTE *prend la main de sa femme*

Il y a de l'écho ici; parlons plus bas. Tu n'as nul
besoin d'y songer, toi que l'amour a faite et si vive
et si jolie! Avec un grain de caprice tu seras la plus
agaçante maîtresse! (*Il la baise au front.*) Ma
Suzanne, un Castillan n'a que sa parole. Voici 15
tout l'or promis pour le rachat du droit que je n'ai
plus sur le délicieux moment que tu m'accordes.
Mais, comme la grâce que tu daignes y mettre est

sans prix, j'y joindrai ce brillant, que tu porteras pour l'amour de moi.

LA COMTESSE, *une révérence*

Suzanne accepte tout.

FIGARO, *à part*

On n'est pas plus coquine que cela.

SUZANNE, *à part*

5   Voilà du bon bien qui nous arrive.

LE COMTE, *à part*

Elle est intéressée; tant mieux.

LA COMTESSE, *regarde au fond*

Je vois des flambeaux.

LE COMTE

Ce sont les apprêts de ta noce; entrons-nous un moment dans l'un de ces pavillons pour les laisser
10 passer?

LA COMTESSE

Sans lumière?

LE COMTE *l'entraîne doucement*

A quoi bon? nous n'avons rien à lire.

FIGARO, *à part*

Elle y va; ma foi! je m'en doutais.

(*Il s'avance.*)

LE COMTE *grossit sa voix en se retournant*

Qui passe ici?

FIGARO, *en colère*

15   Passer! on vient exprès.

LE COMTE, *bas à la Comtesse*

C'est Figaro! . . . (*Il s'enfuit.*)

LA COMTESSE

Je vous suis.

(*Elle entre dans le pavillon à sa droite, pendant
que le Comte se perd dans le bois, au fond.*)

SCÈNE VIII

FIGARO, SUZANNE, *dans l'obscurité*

FIGARO *cherche à voir où vont le Comte et la
Comtesse, qu'il prend pour Suzanne*

Je n'entends plus rien, ils sont entrés. M'y voilà.
(*D'un ton altéré.*) Vous autres époux maladroits,
qui tenez des espions à gages et tournez des mois 5
entiers autour d'un soupçon, sans l'asseoir, que ne
m'imitez-vous? Dès le premier jour je suis ma
femme, et je l'écoute; en un tour de main on est
au fait; c'est charmant: plus de doute, on sait à
quoi s'en tenir. (*Marchant vivement.*) Heureuse- 10
ment que je ne m'en soucie guère, et que sa trahison
ne me fait plus rien du tout. Je les tiens donc enfin!

SUZANNE, *qui s'est avancée doucement dans
l'obscurité*

(*A part.*) Tu vas payer tes beaux soupçons.
(*Du ton de voix de la Comtesse.*) Qui va là?

FIGARO, *extravagant*

Qui va là? Celui qui voudrait de bon cœur que la peste eût étouffé en naissant...

SUZANNE, *du ton de la Comtesse*

Eh! mais, c'est Figaro!

FIGARO *regarde, et dit vivement*

Madame la comtesse!

SUZANNE

5   Parlez bas.

FIGARO, *vite*

Ah! Madame, que le Ciel vous amène à propos! Où croyez-vous qu'est Monseigneur?

SUZANNE

Que m'importe un ingrat? Dis-moi...

FIGARO *plus vite*

Et Suzanne, mon épousée, où croyez-vous qu'elle
10 soit?

SUZANNE

Mais parlez bas.

FIGARO, *très vite*

Cette Suzon qu'on croyait si vertueuse, qui faisait de la réservée! Ils sont enfermés là-dedans. Je vais appeler.

SUZANNE, *lui fermant la bouche avec sa main,
oublie de déguiser sa voix*

15   N'appelez pas.

FIGARO, *à part*

Eh! c'est Suzon! God-dam!

SUZANNE, *du ton de la Comtesse*

Vous paraissez inquiet.

FIGARO, *à part*

Traîtresse! qui veut me surprendre!

SUZANNE

Il faut nous venger, Figaro.

FIGARO

En sentez-vous le vif désir?   5

SUZANNE

Je ne serais donc pas de mon sexe! Mais les hommes en ont cent moyens.

FIGARO, *confidemment*

Madame, il n'y a personne ici de trop.   Celui des
femmes . . . les vaut tous.

SUZANNE, *à part*

Comme je le souffletterais!   10

FIGARO, *à part*

Il serait bien gai qu'avant la noce! . . .

SUZANNE

Mais qu'est-ce qu'une telle vengeance, qu'un peu
d'amour n'assaisonne pas?

FIGARO

Partout où vous n'en voyez point, croyez que le
respect dissimule.   15

SUZANNE, *piquée*

Je ne sais si vous le pensez de bonne foi, mais vous ne le dites pas de bonne grâce.

FIGARO, *avec une chaleur comique, à genoux*

Ah! Madame, je vous adore.   Examinez le temps, le lieu, les circonstances, et que le dépit supplée en 5 vous aux grâces qui manquent à ma prière.

SUZANNE, *à part*

La main me brûle.

FIGARO, *à part*

Le cœur me bat.

SUZANNE

Mais, Monsieur, avez-vous songé . . . ?

FIGARO

Oui, Madame, oui, j'ai songé.

SUZANNE

10   . . . Que pour la colère et l'amour . . .

FIGARO

. . . Tout ce qui se diffère est perdu.   Votre main, Madame?

SUZANNE, *de sa voix naturelle et lui donnant un soufflet*

La voilà!

FIGARO

Ah! demonio! quel soufflet!

SUZANNE *lui en donne un second*

15   Quel soufflet? et celui-ci?

FIGARO

Et *ques-aquo*, de par le diable! Est-ce ici la journée des tapes?

SUZANNE *le bat à chaque phrase*

Ah! *ques-aquo?* Suzanne: et voilà pour tes soupçons; voilà pour tes vengeances et pour tes trahisons, tes expédients, tes injures et tes projets. 5 C'est-il ça de l'amour! Dis donc comme ce matin?

FIGARO *rit en se relevant*

Santa Barbara! oui, c'est de l'amour. O bonheur! ô délices! ô cent fois heureux Figaro! Frappe, ma bien-aimée, sans te lasser. Mais, quand tu m'auras diapré tout le corps de meurtrissures, regarde avec 10 bonté, Suzon, l'homme le plus fortuné qui fut jamais battu par une femme.

SUZANNE

Le plus fortuné! Bon fripon, vous n'en séduisiez pas moins la Comtesse, avec un si trompeur babil que, m'oubliant moi-même, en vérité, c'était pour 15 elle que je cédais.

FIGARO

Ai-je pu me méprendre au son de ta jolie voix?

SUZANNE, *en riant*

Tu m'as reconnue? Ah! comme je m'en vengerai!

FIGARO

Bien rosser et garder rancune est aussi par trop féminin! Mais, dis-moi donc par quel bonheur je te 20 vois là, quand je te croyais avec lui; et comment cet habit, qui m'abusait, te montre enfin innocente ...

SUZANNE

Eh! c'est toi qui es un innocent de venir te prendre au piège apprêté pour un autre! Est-ce notre 5 faute à nous, si, voulant museler un renard, nous en attrapons deux?

FIGARO

Qui donc prend l'autre?

SUZANNE

Sa femme.

FIGARO

Sa femme?

SUZANNE

10 Sa femme.

FIGARO, *follement*

Ah! Figaro, pends-toi; tu n'as pas deviné celui-là! Sa femme? O douze ou quinze mille fois spirituelles femelles! Ainsi les baisers de cette salle?

SUZANNE

Ont été donnés à Madame.

FIGARO

15 Et celui du page?

SUZANNE, *riant*

A Monsieur.

FIGARO

Et tantôt, derrière le fauteuil?

SUZANNE

A personne.

FIGARO

En êtes-vous sûre?

SUZANNE, *riant*

Il pleut des soufflets, Figaro.

FIGARO *lui baise la main*

Ce sont des bijoux que les tiens. Mais celui du
Comte était de bonne guerre.   5

SUZANNE

Allons, superbe! humilie-toi.

FIGARO *fait tout ce qu'il annonce*

Cela est juste; à genoux, bien courbé, prosterné,
ventre à terre.

SUZANNE, *en riant*

Ah! ce pauvre Comte! quelle peine il s'est donnée . . .   10

FIGARO *se relève sur ses genoux*

. . . Pour faire la conquête de sa femme!

Scène IX

LE COMTE *entre par le fond du théâtre, et va droit au pavillon*
à sa droite; FIGARO, SUZANNE

LE COMTE, *à lui-même*

Je la cherche en vain dans le bois, elle est peut-
être entrée ici.

SUZANNE, *à Figaro, parlant bas*
C'est lui.

LE COMTE, *ouvrant le pavillon*
Suzon, es-tu là-dedans?

FIGARO, *bas*
Il la cherche, et moi je croyais ...

SUZANNE, *bas*
Il ne l'a pas reconnue.

FIGARO
5   Achevons-le, veux-tu? (*Il lui baise la main.*)

LE COMTE *se retourne*
Un homme aux pieds de la Comtesse!... Ah! je
suis sans armes. (*Il s'avance.*)

FIGARO *se relève tout à fait en déguisant sa voix*
Pardon, Madame, si je n'ai pas réfléchi que ce
rendez-vous ordinaire était destiné pour la noce.

LE COMTE, *à part*
10 C'est l'homme du cabinet de ce matin. (*Il se
frappe le front.*)

FIGARO *continue*
Mais il ne sera pas dit qu'un obstacle aussi sot
aura retardé nos plaisirs.

LE COMTE, *à part*
Massacre, mort, enfer!

FIGARO, *la conduisant au cabinet*
15 (*Bas.*) Il jure. (*Haut.*) Pressons-nous donc,

Madame, et réparons le tort qu'on nous a fait tantôt, quand j'ai sauté par la fenêtre.

LE COMTE, *à part*

Ah! tout se découvre enfin.

SUZANNE, *près du pavillon à sa gauche*

Avant d'entrer, voyez si personne n'a suivi.   (*Il
la baise au front.*)   5

LE COMTE *s'écrie*

Vengeance!

(*Suzanne s'enfuit dans le pavillon où sont entrés
Fanchette, Marceline et Chérubin.*)

Scène X

LE COMTE, FIGARO

(*Le Comte saisit le bras de Figaro*)

FIGARO, *jouant la frayeur excessive*

C'est mon maître!

LE COMTE *le reconnaît*

Ah! scélérat, c'est toi! Holà! quelqu'un, quelqu'un!

Scène XI

PÉDRILLE, LE COMTE, FIGARO

PÉDRILLE, *botté*

Monseigneur, je vous trouve enfin.   10

LE COMTE

Bon ! c'est Pédrille.   Es-tu tout seul?

PÉDRILLE

Arrivant de Séville, à étripe-cheval.

LE COMTE

Approche-toi de moi et crie bien fort.

PÉDRILLE, *criant à tue-tête*

Pas plus de page que sur ma main.   Voilà le
5 paquet.

LE COMTE *le repousse*

Eh! l'animal!

PÉDRILLE

Monseigneur me dit de crier.

LE COMTE, *tenant toujours Figaro*

Pour appeler.   Holà, quelqu'un! si l'on m'entend,
accourez tous!

PÉDRILLE

10 Figaro et moi, nous voilà deux; que peut-il donc
vous arriver?

SCÈNE XII

LES ACTEURS PRÉCÉDENTS, BRID'OISON, BARTHOLO, BAZILE,
ANTONIO, GRIPPE–SOLEIL

(*Toute la noce accourt avec des flambeaux*)

BARTHOLO, *à Figaro*

Tu vois qu'à ton premier signal . . .

LE COMTE, *montrant le pavillon à sa gauche*
Pédrille, empare-toi de cette porte.

(*Pédrille y va.*)

BAZILE, *bas à Figaro*
Tu l'as surpris avec Suzanne?

LE COMTE, *montrant Figaro*
Et vous tous, mes vassaux, entourez-moi cet
homme, et m'en répondez sur la vie.

BAZILE
Ha! ha!   5

LE COMTE, *furieux*
Taisez-vous donc! (*A Figaro d'un ton glacé.*)   Mon
cavalier, répondez-vous à mes questions?

FIGARO, *froidement*
Eh! qui pourrait m'en exempter, Monseigneur?
Vous commandez à tout ici, hors à vous-même.

LE COMTE, *se contenant*
Hors à moi-même!   10

ANTONIO
C'est ça parler.

LE COMTE *reprend sa colère*
Non, si quelque chose pouvait augmenter ma
fureur! ce serait l'air calme qu'il affecte.

FIGARO
Sommes-nous des soldats qui tuent et se font tuer
pour des intérêts qu'ils ignorent? Je veux savoir, 15
moi, pourquoi je me fâche.

LE COMTE, *hors de lui*

O rage! (*Se contenant.*) Homme de bien qui
feignez d'ignorer! nous ferez-vous au moins la
faveur de nous dire quelle est la dame actuellement
par vous amenée dans ce pavillon?

FIGARO, *montrant l'autre avec malice*

5 Dans celui-là?

LE COMTE, *vite*

Dans celui-ci.

FIGARO, *froidement*

C'est différent. Une jeune personne qui m'honore
de ses bontés particulières.

BAZILE, *étonné*

Ha! ha!

LE COMTE, *vite*

10 Vous l'entendez, Messieurs?

BARTHOLO, *étonné*

Nous l'entendons.

LE COMTE, *à Figaro*

Et cette jeune personne a-t-elle un autre engagement que vous sachiez?

FIGARO, *froidement*

Je sais qu'un grand seigneur s'en est occupé
15 quelque temps; mais, soit qu'il l'ait négligée, ou
que je lui plaise mieux qu'un plus aimable, elle me
donne aujourd'hui la préférence.

LE COMTE, *vivement*

La préf ... (*Se contenant.*)   Au moins il est naïf!
car ce qu'il avoue, Messieurs, je l'ai ouï, je vous
jure, de la bouche même de sa complice.

BRID'OISON, *stupéfait*

Sa-a complice!

LE COMTE, *avec fureur*

Or, quand le déshonneur est public, il faut que 5
la vengeance le soit aussi.

(*Il entre dans le pavillon.*)

Scène XIII

TOUS LES ACTEURS PRÉCÉDENTS, *hors le Comte*

ANTONIO

C'est juste.

BRID'OISON, *à Figaro*

Qui-i donc a pris la femme de l'autre?

FIGARO, *en riant*

Aucun n'a eu cette joie-là.

Scène XIV

LES ACTEURS PRÉCÉDENTS, LE COMTE, CHÉRUBIN

LE COMTE, *parlant dans le pavillon et attirant
quelqu'un qu'on ne voit pas encore*

Tous vos efforts sont inutiles; vous êtes perdue, 10
Madame, et votre heure est bien arrivée!   (*Il sort

sans regarder.)   Quel bonheur qu'aucun gage d'une
union aussi détestée...

FIGARO *s'écrie*

Chérubin!

LE COMTE

Mon page?

BAZILE

5   Ha! ha!

LE COMTE, *hors de lui, à part*

Et toujours le page endiablé!   (*A Chérubin.*)
Que faisiez-vous dans ce salon?

CHÉRUBIN, *timidement*

Je me cachais, comme vous l'avez ordonné.

PÉDRILLE

Bien la peine de crever un cheval!

LE COMTE

10   Entres-y, toi, Antonio: conduis devant son juge
l'infâme qui m'a déshonoré.

BRID'OISON

C'est Madame que vous y-y cherchez?

ANTONIO

L'y a parguenne, une bonne Providence; vous en
avez tant fait dans le pays!...

LE COMTE, *furieux*

15   Entre donc!   (*Antonio entre.*)

Scène XV

LES ACTEURS PRÉCÉDENTS, *excepté Antonio*

LE COMTE

Vous allez voir, Messieurs, que le page n'y était
pas seul.

CHÉRUBIN, *timidement*

Mon sort eût été trop cruel, si quelque âme sensible n'en eût adouci l'amertume.

Scène XVI

LES ACTEURS PRÉCÉDENTS, ANTONIO, FANCHETTE

ANTONIO, *attirant par le bras quelqu'un qu'on ne
voit pas encore*

Allons, Madame, il ne faut pas vous faire prier 5
pour en sortir, puisqu'on sait que vous y êtes entrée.

FIGARO *s'écrie*

La petite cousine!

BAZILE

Ha! ha!

LE COMTE

Fanchette!

ANTONIO *se retourne et s'écrie*

Ah! palsambleu, Monseigneur, il est gaillard de 10
me choisir pour montrer à la compagnie que c'est
ma fille qui cause tout ce train-là!

LE COMTE, *outré*

Qui la savait là-dedans?

(*Il veut rentrer.*)

BARTHOLO, *au-devant*

Permettez, Monsieur le comte, ceci n'est pas plus clair. Je suis de sang-froid, moi.

(*Il entre.*)

BRID'OISON

Voilà une affaire au-aussi trop embrouillée.

SCÉNE XVII

LES ACTEURS PRÉCÉDENTS, MARCELINE

BARTHOLO, *parlant en dedans, et sortant*

5 Ne craignez rien, Madame, il ne vous sera fait aucun mal. J'en réponds. (*Il se retourne et s'écrie:*) Marceline!...

BAZILE

Ha! ha!

FIGARO, *riant*

Hé! quelle folie! ma mère en est?

ANTONIO

10 A qui pis fera.

LE COMTE, *outré*

Que m'importe à moi? La Comtesse...

Scène XVIII

LES ACTEURS PRÉCÉDENTS, SUZANNE

(*Suzanne, son éventail sur le visage*)

LE COMTE

... Ah ! la voici qui sort. (*Il la prend violemment par le bras.*) Que croyez-vous, Messieurs, que mérite une odieuse ... ?

(*Suzanne se jette à genoux la tête baissée*)

LE COMTE

Non, non !

(*Figaro se jette à genoux de l'autre côté*)

LE COMTE, *plus fort*

Non, non !   5

(*Marceline se jette à genoux devant lui*)

LE COMTE, *plus fort*

Non, non !
(*Tous se mettent à genoux excepté Brid'oison*)

LE COMTE, *hors de lui*

Y fussiez-vous un cent !

Scène XIX ET DERNIÈRE

TOUS LES ACTEURS PRÉCÉDENTS, LA COMTESSE *sort de l'autre pavillon*

LA COMTESSE *se jette à genoux*

Au moins je ferai nombre.

LE COMTE, *regardant la Comtesse et Suzanne*
Ah! qu'est-ce que je vois!

BRID'OISON, *riant*
Eh! pardi! c'è-est Madame.

LE COMTE *veut relever la Comtesse*
Quoi! c'était vous, Comtesse?   (*D'un ton suppliant.*)   Il n'y a qu'un pardon bien généreux . . .

LA COMTESSE, *en riant*
5   Vous diriez, *non, non*, à ma place; et moi, pour
la troisième fois d'aujourd'hui, je l'accorde sans
condition.   (*Elle se relève.*)

SUZANNE *se relève*
Moi aussi.

MARCELINE *se relève*
Moi aussi.

FIGARO *se relève*
10   Moi aussi.   Il y a de l'écho ici!
(*Tous se relèvent.*)

LE COMTE
De l'écho! — J'ai voulu ruser avec eux, ils m'ont
traité comme un enfant!

LA COMTESSE, *en riant*
Ne le regrettez pas, Monsieur le comte.

FIGARO, *s'essuyant les genoux avec son chapeau*
Une petite journée comme celle-ci forme bien un
15 ambassadeur!

Quentin Del.   Roi Sculp

Ah, qu'est-ce que j'apperçois?

Illustration to Act V, Scene xix by St. Quentin, from
the first edition of the *Mariage*, 1785.

LE COMTE, *à Suzanne*
Ce billet fermé d'une épingle? . . .

SUZANNE
C'est Madame qui l'avait dicté.

LE COMTE
La réponse lui en est bien due.

(*Il baise la main de la Comtesse.*)

LA COMTESSE
Chacun aura ce qui lui appartient.
(*Elle donne la bourse à Figaro et le diamant à Suzanne*)

SUZANNE, *à Figaro*
Encore une dot.   5

FIGARO, *frappant la bourse dans sa main*
Et de trois.   Celle-ci fut rude à arracher!

SUZANNE
Comme notre mariage.

GRIPPE-SOLEIL
Et la jarretière de la mariée, l'aurons-je?

LA COMTESSE *arrache le ruban qu'elle a tant gardé*
dans son sein et le jette à terre
La jarretière?   Elle était avec ses habits; la voilà.

(*Les garçons de la noce veulent la ramasser*)

CHÉRUBIN, *plus alerte, court la prendre et dit*
Que celui qui la veut vienne me la disputer!   10

LE COMTE, *en riant au page*

Pour un monsieur si chatouilleux, qu'avez-vous
trouvé de gai à certain soufflet de tantôt?

CHÉRUBIN *recule en tirant à moitié son épée*

A moi, mon colonel?

FIGARO, *avec une colère comique*

C'est sur ma joue qu'il l'a reçu: voilà comme les
5 grands font justice!

LE COMTE, *riant*

C'est sur sa joue? Ah! ah! ah! qu'en dites-vous
donc, ma chère Comtesse?

LA COMTESSE, *absorbée, revient à elle et dit avec
sensibilité*

Ah! oui, cher Comte, et pour la vie, sans distraction, je vous le jure.

LE COMTE, *frappant sur l'épaule du juge*

10 Et vous, Don Brid'oison, votre avis maintenant?

BRID'OISON

Su-ur tout ce que je vois, Monsieur le comte?...
Ma-a foi, pour moi, je-e ne sais que vous dire: voilà
ma façon de penser.

TOUS *ensemble*

Bien jugé.

FIGARO

15 J'étais pauvre, on me méprisait. J'ai montré
quelque esprit, la haine est accourue. Une jolie
femme et de la fortune...

BARTHOLO, *en riant*

Les cœurs vont te revenir en foule.

FIGARO

Est-il possible?

BARTHOLO

Je les connais.

FIGARO, *saluant les spectateurs*

Ma femme et mon bien mis à part, tous me feront
honneur et plaisir. 5

(*On joue la ritournelle du vaudeville.* Air noté)

VAUDEVILLE

BAZILE

PREMIER COUPLET

Triple dot, femme superbe:
Que de biens pour un époux!
D'un seigneur, d'un page imberbe,
Quelque sot serait jaloux.
Du latin d'un vieux proverbe 10
L'homme adroit fait son parti.

FIGARO

Je le sais . . .
(*Il chante.*)

Gaudeant bene nati.

BAZILE

Non . . .
(*Il chante.*)

Gaudeat bene nanti.

SUZANNE

IIe COUPLET

Qu'un mari sa foi trahisse,
Il s'en vante, et chacun rit;
Que sa femme ait un caprice,
S'il l'accuse, on la punit.
De cette absurde injustice
Faut-il dire le pourquoi?
Les plus forts ont fait la loi ... (*Bis.*)

FIGARO

IIIe COUPLET

Jean Jeannot, jaloux risible,
Veut unir femme et repos;
Il achète un chien terrible,
Et le lâche en son enclos.
La nuit, quel vacarme horrible!
Le chien court, tout est mordu;
Hors l'amant qui l'a vendu ... (*Bis.*)

LA COMTESSE

IVe COUPLET

Telle est fière et répond d'elle,
Qui n'aime plus son mari;
Telle autre, presque infidèle,
Jure de n'aimer que lui.
La moins folle, hélas! est celle
Qui se veille en son lien,
Sans oser jurer de rien ... (*Bis.*)

LE COMTE

Ve COUPLET

D'une femme de province,
A qui ses devoirs sont chers

Le succès est assez mince;
Vive la femme aux bons airs!
Semblable à l'écu du prince,
Sous le coin d'un seul époux,
Elle sert au bien de tous ... (*Bis.*) 5

MARCELINE

VIe COUPLET

Chacun sait la tendre mère
Dont il a reçu le jour;
Tout le reste est un mystère,
C'est le secret de l'amour.

FIGARO *continue l'air*

Ce secret met en lumière 10
Comment le fils d'un butor
Vaut souvent son pesant d'or ... (*Bis.*)

VIIe COUPLET

Par le sort de la naissance,
L'un est roi, l'autre est berger;
Le hasard fit leur distance; 15
L'esprit seul peut tout changer.
De vingt rois que l'on encense
Le trépas brise l'autel;
Et Voltaire est immortel! ... (*Bis.*)

CHÉRUBIN

VIIIe COUPLET

Sexe aimé, sexe volage, 20
Qui tourmentez nos beaux jours,
Si de vous chacun dit rage,
Chacun vous revient toujours.
Le parterre est votre image:
Tel paraît le dédaigner, 25
Qui fait tout pour le gagner... (*Bis.*)

SUZANNE

IXᵉ COUPLET

Si ce gai, ce fol ouvrage,
Renfermait quelque leçon,
En faveur du badinage
Faites grâce à la raison.
Ainsi la nature sage
Nous conduit, dans nos désirs,
A son but, par les plaisirs... (*Bis.*)

BRID'OISON

Xᵉ COUPLET

Or, Messieurs, la co-omédie,
Que l'on juge en cè-et instant,
Sauf erreur, nous pein-eint la vie
Du bon peuple qui l'entend.
Qu'on l'opprime, il peste, il crie;
Il s'agite en cent fa-açons:
Tout fini-it par des chansons ... (*Bis.*)

BALLET GÉNÉRAL

FIN.

NOTES

NOTES

PERSONNAGES

Page 2, line 1. **corrégidor:** from Span. *corregidor* = chief magistrate of a city or province in which no governor resides.

2. **Andalousie:** 'Andalusia,' province in the south of Spain.

6. **camériste:** from Span. *camarista = dame de chambre d'une personne de qualité*.

8. **femme de charge:** 'housekeeper.'

12. **Fanchette:** like *Fanchon* and *Fanchonnette*, a diminutive of *Françoise*.

14. **Bartholo:** one of the principal characters in the *Barbier de Séville*; see Summary, p. xliv.

15. **clavecin:** 'harpsichord.'

16. **Don:** title borrowed from the Spanish *Don*. — **Gusman:** a disguised satire on the Conseiller Goëzman; see pp. xv ff.   Guzmán is a well-known Spanish name. — **Brid'oison:** a reminiscence of Rabelais' Bridoye, who determined all his verdicts by the cast of dice (*Pantagruel*, III, 39). *Oison*, 'gosling,' is a diminutive of *oie*. *Oison bridé* = 'oison à qui on a insinué une plume dans les ouvertures des narines pour l'empêcher de traverser les haies; et figurément, personne sans intelligence' (L). — **lieutenant du siège:** 'assistant magistrate.'

21. **Huissier audiencier:** 'Court usher.'

22. **Grippe-Soleil:** patterned after such words as *grippe-sou*, 'grabpenny,' 'skinflint'; cf. Grippeminaud, the archduke of the *chats fourrés* in Rabelais. — **pastoureau:** archaic for *petit berger;* cf. *pâtre,* 'shepherd.'

24. **Pédrille:** from Span. *Pedrillo,* dimin. of *Pedro* (= Peter).

28. **Aguas-Frescas:** Span. equivalent of Fr. *Eaux-fraîches.*

CARACTÈRES ET HABILLEMENTS

3, 4. **entreprise** = *tentative de séduction, aventure galante.*

17. **lévite:** 'long robe,' suggesting the gown of a Levite or priest.

23. **charge:** 'caricature,' 'exaggeration.'

28. **Son vêtement,** etc. In the *Barbier* Figaro's dress was thus described: "Habit de mayo espagñol ('beau' du peuple). La tête couverte d'une résille, ou filet; chapeau blanc, ruban de couleur autour de la forme, un fichu de soie attaché fort lâche à son cou, gilet et haut-de-chausse de satin, avec des boutons et boutonnières frangés d'argent: une grande ceinture de soie, les jarretières nouées avec des glands qui pendent sur chaque jambe; veste de couleur tranchante, à grands revers de la couleur du gilet; bas blancs et souliers gris." See the illustrations in the Fournier edition of Beaumarchais.

4, 1. **juste:** a tightly fitting peasant's dress.

2. **basquines:** short outer skirt, draped at the hips; Eng. 'basquine' or 'pannier.' — **toque . . . à la Suzanne:** also known as the *toque ques-aquo;* see pp. xvii, xviii and note to p. 199, l. 1.

37. **Bartholo:** His dress is thus described in the *Barbier:* "habit noir, court, boutonné; grande perruque; fraise et manchettes relevées; une ceinture noire; et, quand il veut sortir de chez lui, un long manteau écarlate."

5, 1. **Bazile:** In the *Barbier* he was described as follows: "organiste, maître à chanter de Rosine; chapeau noir rabattu, soutanelle (short cassock reaching to the knee) et long manteau, sans fraise ni manchettes."

12. **gonille:** The word with this meaning does not appear in the French dictionaries. — **rabat:** 'ruff.'

16. **Alguazil**: from Span. *alguacil*, a minor officer of justice. —
épée de Crispin: Crispin, type of the impudent, unscrupulous valet,
familiar on the French stage. Cf. the comedy of Le Sage, *Crispin
rival de son maître*. His sword was a very long rapier.

18. **naissante** = *frisée en long*. Therefore, a wig with long curls.

25. **résille**: 'petit filet dont on enveloppe les cheveux' (H.D.).

ACT I

Stage direction. **toise**: 'two-yard stick.'

SCENE I

8, 3. **aura bonne grâce**: 'will go well.'

9, 4. **zeste**: 'presto.'

6. **crac**: 'flash.'

10, 3. **épinière**: 'spinal.'

5. **beaux yeux de ton mérite**: ironical, 'your fine merit.'

13. **ancien droit du seigneur**: the *jus primae noctis*, 'droit
qu'aurait eu le seigneur sur la première nuit de noces de la femme de
son vassal' (H.D.). 'Il paraît avoir existé le plus anciennement
dans les pays celtiques, et notamment en Écosse' (*La Grande Encyclopédie*). In time it was changed into a kind of tax on marriage.
Beaumarchais is indebted in a general way to Voltaire, who used the
jus primae noctis as the basis for his romantic comedy or 'drame,'
le Droit du seigneur (1762), in which the seigneur's behavior is most
exemplary. — **triste**: refers, of course, to *droit*.

11, 5. **S'il y venait**, etc.: a reference to the *cornes du cocu*.

10. **De l'intrigue**, etc.: cf. *le Barbier*, act I, scene vi: "De l'or,
c'est le nerf de l'intrigue."

16. **souffler** = *enlever*. In the game of draughts or checkers
(*jeu de dames*) the term *souffler une dame* means to take a king (*dame*)
which has failed to capture a checker at its mercy. Beaumarchais
was fond of draughts and was playing a game with a friend the night
he died.

12, 6. **Fi, Fi, Figaro**: a play upon the interjection *fi*.

9. **Je t'en souhaite**: ironical, 'by no means.'

Scenes II and III

13, 2. **verdissante:** (*verdir = devenir vert*) 'full of the freshness of spring.'

4. **mais sage:** *mais* is here emphatic; 'and virtuous, I can tell you.'

6. **m'en donner . . . à garder:** 'to fool me.'

11. **casse-cou:** ('horse-breaker'), 'rough rider.'

21. **fripon mon cadet:** 'you mean scamp'; ironical use of *cadet*. Bazile is far from young.

22. **clocher,** etc.: a reference to the proverb 'Il ne faut pas clocher devant les boiteux' (i.e., il ne faut faire devant les gens rien qui leur rappelle quelque souvenir pénible).

14, 3. **de vous est friande en diable:** 'is deucedly soft on you.'

14. **Moi qui eus,** etc.: as told in the *Barbier*. See Summary, pp. xliv f.

16. **votre mule:** a provoking reminiscence of an episode in the *Barbier*, where Figaro, in order to carry out his schemes, gives to one of Bartholo's servants a narcotic, to another a sneezing mixture, bleeds another's foot, and puts a poultice on the eyes of the blind mule (*Barbier*, act II, scene iv).

15, 9. **de reste:** 'only too fully,' 'well enough.' Distinguish from *du reste*.

Scenes IV and V

10. **Ce drôle:** 'that rascal.' Distinguish the noun *drôle* from the adjective.

15. **comme on s'est marié:** a reference to the marriage of the Count and Rosine in the *Barbier*. Cf. pp. xliv f.

16, 5. **trompeuse:** refers to the way Rosine had tricked Bartholo in the *Barbier*.

17, 6. **caverne** = *rendez-vous de malfaiteurs*, 'a den of scoundrels.'

16. **engagements** = *promesses*.

17. **notre petit Emmanuel:** he will be heard of later, act III, scene xvi.

18, 2. **accès d'hymen:** 'craze for marriage.' (*Hymen:* pr. imεn.)

5. **vous porter à la justice de** = M.F. '*vous faire trouver juste de*' (R.).

20, 3. **ma jeune maîtresse:** Rosine, in the *Barbier*.

6. **cent écus:** the money that Figaro owed Bartholo in the *Barbier*. At the end of the earlier comedy, Bartholo, caught in a legal net, is obliged to cancel Figaro's debt (*Barbier*, act IV, scene viii).

12. **bien** = *n'est-ce pas?*

21, 1. **Suzon:** dimin. of Suzanne.

16. **savantes:** here suggests perhaps the two meanings of 'pedantic' (blue-stocking) and 'experienced,' 'artful.' Marceline was a woman of some education; see the next scene.

22, 2. **accordée:** (antiquated) = *fiancée*.

10. **duègnes:** the reputation of duennas for unblushing intrigue is notorious.

13. **je n'y tiendrais pas:** 'I can't stand this.'

Scenes VI, VII and VIII

23, 3. **vieille sibylle:** 'old oracle.' The most celebrated of the Sibyls of antiquity was the Cumæan, consulted by Æneas before his descent into the lower world.

4. **tourmenté la jeunesse:** when she was Bartholo's housekeeper, before Rosine's marriage.

16. **rôle d'innocente:** 'little girl's part.'

24, 6. **c'en est fait:** 'it's all over.''

25, 1. **Eh! que non pas:** 'I should think not.'

Stage direction. **romance:** '(love-) song.'

17. **vous m'en contez** = *vous me contez des sornettes*, 'pretend to pay court to me.'

26, 16. **ouiche** = *bien oui!* 'indeed.'

27, 5. **par contre-coup:** translate: 'on the strength of it.'

29, 4. **sur la brune:** 'at dusk.'

7. **Monseigneur:** in apposition to *il*.

Scene IX

31, 14. **Cherubino di amore:** 'Cherub of love.' As a singing master, Bazile is familiar with Italian, and probably quotes here a snatch of an Italian song.

32, 3. **Ah! oui, . . .:** ironical; 'For me! Well, I like that.'

6. **avec des yeux:** intensive use of *des;* 'with such eyes.' — **qu'il ne s'y joue pas** = *qu'il ne soit pas assez fou, assez téméraire, pour faire cela.*

33, 2. **saisie:** 'overcome.'

7. **de m'être égayé sur le** = *d'avoir plaisanté aux dépens du.*

8. **en usais** = *agissais.*

9. **au fond:** distinguish from *à fond.*

10. **pistoles:** 'pièce d'or d'origine espagnole valant environ onze francs' (H.D.).

34, 8. **porte-manteau:** here = 'barre fixée à la muraille et munie de patères,' 'row of pegs' (concealed by a curtain). Translate 'portmanteau.'

17. **apprêts** = 'manœuvres,' 'tricks.'

19. **il vous manquait:** i.e., 'the one thing you needed to make you perfect was to . . .'

35, 1. **camériste:** see note to p. 2, l. 6.

5. **tromperie ni victime:** = *ni tromperie ni,* etc.

Scene X

37, 3. **Va toujours:** 'Try anyway.'

6. **un certain droit:** i.e., *le droit du seigneur;* see note to p. 10, l. 13.

38, 2. **sagesse:** 'virtue.'

8. **poète et musicien:** Figaro's talent in this direction appeared in the *Barbier.*

39, 7. **Vivat:** (Lat.) 'Hurrah!' Pronounce the *t.*

12. **espiègle:** 'little mischief.' The word *espiègle* is derived from the German Till Eulenspiegel, famous hero of a popular book of mischievous pranks, printed in 1515 and later translated into French.

40, 14. **Qu'il entend-il?** = *Que veut-il dire?*

17. **légion** = *régiment.*

41, 2. **joindre:** 'join the army.' — **Catalogne:** 'Catalonia,' province in the northeast of Spain; capital, Barcelona.

9. **seulement:** *même.*

18. **Je ne m'en défends pas:** = *Je ne le nie pas.*

19. **allié de :** (= *allié à*) 'connected by marriage with.'

42, 7. **Dame :** 'Well!' Derived from Lat. *domina*, 'Our Lady.'

8. **échaudés :** 'petite pâtisserie légère faite de pâte échaudée (scalded), d'œufs, de beurre et de sel' (H.D.); Eng. 'cracknel.' — **goûters à la crème :** evidently some kind of cream cake or pastry, though an exact description has not been found.

9. **main chaude :** 'jeu où l'un des joueurs tient une main renversée sur son dos, et doit deviner celui qui frappe dedans' (L.); Eng. 'hot cockles.' — **colin-maillard :** 'blind-man's buff.'

43, 16. **chien d'amour :** 'confounded love' (referring to Marceline's love for himself). — **berce :** 'infatuates.'

44, 5. **enfilé :** 'fooled.'

Scene XI

7. **Ah ça :** 'Come now!'

8. **nous recorder** (archaic): 'rehearse our parts.'

11. **point de lendemain,** etc.: a clear reference to the author's experience with *Eugénie* and the *Barbier*, which, though failures the first night, were at once so altered as to meet with great success. See pp. xiii, xx.

45, 8. **trousse :** 'kit.'

9. **un temps de galop :** 'a bit of a galop.'

10. **les derrières** = *le derrière*.

16. **par grâce** = *de grâce*.

46, 5. **la sagesse des nations :** i.e., *le proverbe*. The conclusion of this famous proverb is '*qu'à la fin elle se casse*' (or *se brise*). It was a self-confessed mania of Bazile's to alter proverbs to suit the occasion. Cf. *le Barbier*, act IV, scene i: "Oui, j'ai arrangé comme cela plusieurs petits proverbes avec des variations." Beaumarchais himself was addicted to the same habit.

ACT II

47, *Stage direction.* **au devant** = *sur le devant*.

Scene I

Stage direction. **bergère :** 'easy chair.'

48, 10. **enfance** = *enfantillage* (archaic in this sense).

16. **par-ci . . . par l'autre** = *par-ci . . . par-là*, 'one moment . . . the next.'

49, 3. **protéger Marceline :** 'aid Marceline's plans.'

14. **une chaleur :** 'so warm.' Emphatic use of the indefinite article.

16. **action** = *animation*.

50, 1. **constance** = *persistance*. She implies that her husband's neglect exposes her to moral danger. Beaumarchais makes frequent use of the unfinished sentence, gaining thereby in both rapidity of dialogue and suggestiveness.

SCENE II

12. **prendre aucune :** compare the expression *prendre patience*.

51, 3. **Tu finiras :** 'Won't you stop?

52, 9. **tout rouge :** 'red-hot.'

10. **Guadalquivir :** river in the south of Spain, flowing through Seville and emptying into the Atlantic.

11. **Je vous ai fait rendre à** = *J'ai fait remettre à*. The *vous* is the ethical dative.

12. **inconnu :** 'anonymous.'

15. **sur le compte de :** 'in a matter concerning.'

18. **rencontrer juste :** 'hitting it right.'

19. **je l'en remercie :** i.e., Figaro, for his compliment.

53, 2. **taillé ses morceaux :** i.e., 'cut out his programme.'

4. **se complaire :** *s'amuser, trouver son plaisir*.

5. **galopera-t-il** = *fera-t-il la cour à ?*

7. **qui n'en peut mais :** 'that is not to blame,' 'innocent.'

8. **en poste :** 'posthaste.' Cf. *aller un train de poste ; courir la poste*.

9. **pris de parti contre :** 'made any plans to thwart it.' This absolute use of the preposition, regarded as colloquial, is fairly common in Beaumarchais.

13. **Brrr !** an exclamation expressing fear, or accompanying a shudder.

16. **celui-là** = *cela ; ce tour-là*. This use of *celui-là* for *cela* is frequent in Beaumarchais.

19. **mot** = *devise;* 'motto.'

54, 3. **s'en dédire:** here with the antiquated meaning of *protester de son innocence*, rather than the ordinary sense of *revenir sur ce qu'il a dit, changer d'avis.*

12. **Recevoir, prendre et demander:** Beaumarchais felt it desirable to defend, or rather to excuse, this satire in his Preface to the *Mariage.*

55, 3. **l'endoctrine:** 'coach him'; 'teach him his part.' — **puis dansez:** 'then look out for trouble.'

Scenes III and IV

Stage direction. **mouches:** 'beauty patches.'

5. **comme je suis faite!** 'What a state I am in!'

13. **reprendre** = *arranger.*

56, *Stage direction.* **l'air honteux:** 'bashful.'

8. **bel oiseau bleu:** *L'Oiseau bleu,* by the Comtesse d'Aulnoy (1650-1705), is one of the best known fairy tales in French. In the story the Prince Charming, changed to the form of a blue bird, visits the tower in which his sweetheart Florine is imprisoned. The blue bird has become a symbol of the tender, perfect lover.

11. **un pied:** i.e., *un pied de rougeur.*

57, 4. **gnian, gnian:** (also spelt *gnan, gnan*); expression used to ridicule the hesitation of a bashful person. It is also used substantively and adjectively: *un gnian-gnian; il est gnian-gnian.*

5. **Dès que** = *Puisque.*

11. **Vanloo** (Carle A.): distinguished French painter, 1705–1765. — Beaumarchais' arrangement of picturesque tableaux on the stage, previously advocated by Diderot, is an important novelty in the evolution of the French theatre. The fifth act of the *Mariage* is a striking example.

Marlbrough s'en va-t-en guerre: This song, still very popular in France, is sung to the tune known in this country as the air to 'For he's a Jolly Good Fellow.' Chérubin sings it rather slowly. For the interesting history of the air, see Lintilhac, *Hist. gén. du théâtre,* IV, 422, note.

13. **coursier:** 'charger.'

16. **destrier:** 'steed.'

58, 2. **varlet:** 'varlet' (cf. modern *valet*); in the Middle Ages, a page, or attendant of a knight. — **n':** for *ne*, an older form of *ni* (Lat. *nec*).

6. **Sentais:** the subject omitted, as happens frequently in older French.

11. **sans la mienne:** We should have expected *dans la mienne*, referring to the frequent custom of interweaving lovers' initials; but all the standard editions have *sans*, which reflects the timidity of the page, afraid to associate his name publicly with that of his lady. The pirated Paris and Amsterdam editions of 1785 (Cordier 130 and 131) both have *dans*, and seem certainly correct; Renault has *sous*. Cf. note to p. 130, l. 5.

12. **vint à passer:** distinguish *venir à passer, venir de passer, venir passer*.

14. **clergier:** another spelling of Old French *clergié = clergé*.

17. **gêne:** here in the older sense of 'trouble.'

18. **plorer:** older form of *pleurer*.

20. **Nous faut,** etc. = *Il faut nous le déclarer*.

59, 14. **Nenni:** (pr. nani) = *Point*.

21. **Ah çà:** 'Now then.'

60, 7. **toilette** = *table de toilette*. — **baigneuse:** (antiquated); *bonnet à plis*, 'frilled cap.'

SCENES V AND VI

12. **expédier votre brevet:** 'prepare or write out your commission.' Cf. *expédier un acte, un contrat, etc.*

61, 14. **morveux:** *un petit garçon* (*qu'on est encore obligé de moucher*); translate: 'young cub,' or 'brat.'

62, 5. **amadis** (*s* pronounced): tight sleeve buttoned at the wrist; it came into fashion in the seventeenth century, imitating the costume of Amadis in Quinault's opera *Amadis* (1684). Amadis of Gaul, hero of a celebrated prose romance of uncertain date and origin, but written in Spanish in 1508, is the typical lover of chivalrous romance. — **prenne mieux** = *tombe mieux*.

13. **gourmette:** 'curb.'

14. **donné de la tête:** 'tossed his head.' — **bossette:** 'knob of the bit.'

18. **courbette:** as a riding-school term means a 'curvet.' By extension, a 'cringing bow.' — **cornette:** a kind of 'mop cap'; also a 'cornet,' or 'pennant.'

63, 3. **taffetas gommé:** (or *taffetas d'Angleterre*) 'sticking plaster.'

Scenes IX, X and XII

64, 14. **avec son pronostic:** see p. 42, ll. 5–13.

65, 9. **le col:** older form of *cou*.

66, 5. **Vous n'êtes pas dans l'usage** = *Vous n'avez pas l'habitude*.

6. **je chiffonnais:** 'I was looking over some old dresses.'

8. **altérés** = *troublés*.

68, 12. **pour du trouble:** 'as for being excited,' or 'upset.'

Scene XIII

69, 6. **Sortez, Suzon:** Notice that the Count has hitherto used *tu* to Suzanne. In his anger he changes to *vous*.

70, *Stage direction.* **au-devant** = *devant*.

10. **jeter en dedans** = *enfoncer*.

13. **fable:** 'laughing stock.'

17. **au même état** = *dans le même état*. — **voudrez-vous** = M.F. *voulez-vous* or *voudriez-vous*.

18. **puisqu'il vous déplaît** = *puisque cela*, etc.

71, 5. **étourderie funeste!** 'fatal folly' (of mine)!

13. **à la clef** = *à clef*.

Scenes XIV, XV, and XVI

72, 11. **melonnière:** 'melon patch.' — **quitte à:** 'nothing worse will happen than.'

73, 3. **garnement:** 'rascal.'

Stage direction. **pince:** here = 'crow-bar.'

13. **altérer:** *ruiner*.

16. **en faveur du motif:** i.e., jealousy; cf.

> 'Comme les bruits confus accompagnent le jour,
> Toujours la jalousie accompagne l'amour.'
>
> Tristan, *Panthée*, IV, I.

En faveur de = *en considération de*.

74, 10. **Au moins n'est-ce pas:** inversion of verb and subject occurs after some adverbs such as *peut-être, aussi, à peine.* Cf. p. 75, l. 3.

75, 10. **gardez de penser** = *gardez-vous de penser.*

76, *Stage direction.* **à bras-le-corps** = *par le milieu du corps. Stage direction.* **les bras élevés** = M.F. *les bras levés.*

Scenes XVII, XVIII and XIX

78, 3. **quelle école!** = *quelle sottise!* 'What a situation!'

7. **Remettez-vous:** 'Calm yourself.'

10. **pour le coup** = *cette fois.*

79, 9. **dévouée** = *vouée;* cf. *dévouer à la haine, à l'exécration publique.*

12. **gens** = *domestiques.*

80, 4. **à grand renfort** = *au moyen d'une grande quantité.*

9. **ne se couvre point** = *ne s'excuse, ne se justifie point.*

10. **Ursulines:** 'religieuses qui tirent leur nom de sainte Ursule, et qui sont obligées par leur statuts à prendre soin de l'instruction des jeunes filles' (L.).

15. **quand cela serait:** 'even if that were so.'

81, 2. **poursuivie:** *cherché à obtenir* (cf. *le Barbier*).

7. **tourné le sang:** *causé une très penible impression, bouleversé.*

11. **Il en était?** 'He had a hand in it?'

13. **O perfide chanteur:** both meanings of *chanteur,* i.e., 'singer' and 'blackmailer,' are here suggested; cf. **chantage,** 'blackmail.'

14. **lame à deux tranchants** = *épée qui blesse de deux côtés à la fois,* term applied to a double dealer.

82, 2. **voilà bien les hommes!** 'that's just like men.'

9. **je suis encore à concevoir:** 'I have never understood.'

12. **défait:** 'distressed.'

13. **D'honneur:** elliptical for *Foi d'homme d'honneur,* or *parole d'honneur.*

17. **d'avec** = *de.*

18. **veste:** 'under jacket.' In scene iv they had removed his cloak.

83, 4. **peu d'envie** = *peu envie.*

9. **se composer :** 'hiding one's feelings.'

14. **Brisons là :** 'Let us drop the subject.'

84, 13. **en venir là :** 'come to that,' 'end that way.'

SCENE XX

85, 1. **Je suis vite accouru :** *accourir* takes either *avoir* or *être.* We should rather expect *avoir* in this case.

11. **entretenir** = *converser avec.*

86, 1. **Quand je ne le saurais pas :** 'Even though I did not know it.'

7. **défaites :** *mauvaises excuses.*

8. **comme un Bazile :** a reference to the famous mystification scene in the *Barbier* (act III, scene xi), in which the Count, Figaro, Rosine and Bartholo with different motives all prevent Bazile from talking, completely mystify him, and finally get rid of him by the inducement of a purse and the assurance that he looks dreadfully ill.

15. **consommé :** a word used here with playful solemnity. Cf. *consommer un crime, un sacrifice,* etc.

17. **Que dis-tu là-dessus?** = *Que dis-tu à cela?*

87, 16. **froissé :** 'bruised,' 'shaken up.'

17. **pécaïre :** a southern French exclamation, 'alas!' learned like *ques-aquo* from Marin; see p. xvii and note to p. 199, l. 1.

88, 5. **vêtu** = M.F. *habillé.*

SCENE XXI

9. **une fois** = *enfin.*

10. **couches :** 'flower beds.'

89, 3. **Vous n'y êtes pas :** 'You haven't hit it right.'

4. **ténébreux** = *perfides, faux.*

8. **déjà** = *dès à présent.*

11. **effleurée :** 'hurt.'

14. **je deviendrais enragé :** 'I should go mad.'

15. **en prendre :** i.e., *prendre du vin.*

90, 12. **jarni :** an oath, especially used by peasants in comedy; an abbreviation of *jarnidieu* or *jarnibleu* = *je renie Dieu.*

13. **Après:** The Count uses *après* in the sense of 'what next?' but Antonio in the sense of 'after him.'

15. **gourde:** i.e., *coup qui engourdit.* Antonio means 'I have numbed my hand with such a hard crack against the gate that,' etc. This use of *gourde* is not regular.

91, 2. **que oui-da:** 'I should say so'; *da* (= *vraiment*) is added to *oui, non, nenni.*

4. **train:** 'fuss,' 'row.' — **Combien te faut-il,** etc: 'How much do you want, big cry-baby, for your . . . ?'

11. **plus moindre** = *plus petit.*

12. **on se pelotonne** = *on se met en boule;* 'you double up.'

13. **qui dirait,** etc.: 'perhaps the little sliver' . . .

92, 3. **Quelle patience !** 'How exasperating!'

6. **j'ai ouï** = *j'ai entendu. Ouï* is archaic.

13. **brimborion:** 'scrap.'

93, 6. **l'état des meubles:** 'the list (or statement) of the furniture.'

12. **Monseigneur dit:** *dit* = *demande.*

13. **qui me parle dans le nez:** *nez* = *visage.*

15. **povero:** (Italian for *pauvre*) 'poor lad!'

94, 14. **il est écrit:** 'it is decreed,' 'it is my fate.'

Scene XXII

95, 12. **billet** = *billet à ordre,* i.e., 'promissory note.'

96, 5. **mon fripon du billet:** see act II, scene ii: *Figaro.* . . . "Je vous ai fait rendre à Bazile un billet inconnu," etc. Cf. also scenes xii and xix of this act.

8. **maître sot !** 'big idiot!'

12. **vos titres:** 'your claims.'

14. **siège:** 'bench,' 'court.'

16. **le paysan du billet:** 'the peasant who gave you the note'; cf. scene xix.

97, 5. **Homme à talent** = *Homme de talent.* — **je montre** = *j'enseigne;* still used familiarly in this sense.

9. **plaît me l'ordonner** = *plaît de me,* etc.

10. **Monsigneu:** dialect for *Monseigneur.*

13. **patouriau** (for *pastoureau*) = *petit berger*.

14. **troupiau :** for *troupeau*.

15. **ous-ce-qu'est** for *où est*. — **toute l'enragée boutique à procès :** 'the whole darn (mad) gang of lawyers.' This depreciative use of *boutique* is common; cf. *quelle boutique ! = quelle maison mal tenue !*

Scene XXIII

98, 4. **contre le pot de fer :** a reference to the fable *Le Pot de terre et le pot de fer* (La Fontaine, V, 2) in which the two pots go traveling together "*clopin-clopant*," and, at the first bump, the former is dashed to pieces. — **moi qui ne suis . . . :** he would have added of course: *qu'un pot de terre*.

6. **une cruche :** a play on the two meanings 'pitcher' and 'blockhead.' Hugo echoes this joke in the *Travailleurs*, vol. ii, p. 138 (Hetzel-Quantin).

12. **en train de :** 'in a humor for.'

14. **la-mi-la :** notes of the scale.

99, 1. **séguedille :** (Span. *seguidilla*). The Spanish *seguidilla* has stanzas of seven lines, each stanza having two divisions, of four and three lines respectively, and combining seven and five syllable lines in this order: 7, 5, 7, 5; 5, 7, 5. During his stay in Spain Beaumarchais became a great admirer of the *seguidillas* and imitated them in his own language (cf. p. xii). The French definition for a *séguedille* is more vague than the Spanish: "Chanson espagnole avec ritournelle, d'un mouvement animé, à trois temps" (H.D.).

air noté : i.e., *air écrit en notes de musique;* 'with accompanying music.' The *airs notés* are given in some of the unauthorized editions, e.g., those of Paris and Amsterdam, 1785.

7. **zon, zon, zon :** 'zum, zum, zum,' imitating a guitar.

Scenes XXIV, XXV and XXVI

19. **m'a value :** 'has caused me.'

21. **il s'est terni** = *il a pâli*.

100, 7. **l'usage du grand monde :** 'familiarity with the best society.' In the *Barbier* Rosine had not yet learned this art (*Barbier*, act II, scenes xi and xvi).

101, 5. **le bonheur d'un premier hasard :** 'success in the first risky adventure.'

9. **mettre ici du sien :** 'have a finger in the pie.'

17. **Ah ! Monsieur le comte,** etc.: refers to her increasing affection for the page.

102, 1. **loup** = *demi-masque de satin noir ou de velours.*

Stage direction. **Pendant l'entr'acte,** etc.: In *Eugénie* Beaumarchais had attempted the innovation of filling the interval between the acts by means of a transitional pantomime action which he called the 'Jeu d'entr'acte.' "L'action théâtrale ne reposant jamais, j'ai pensé qu'on pourrait essayer de lier un acte à celui qui le suit, par une action pantomime qui soutiendrait, sans la fatiguer, l'attention des spectateurs, et indiquerait ce qui se passe derrière la scène pendant l'entr'acte. Je l'ai désignée entre chaque acte. Tout ce qui tend à donner de la vérité est précieux dans un drame sérieux, et l'illusion tient plutôt aux petites choses qu'aux grandes" (*Eugénie,* end of act I). Though this innovation was not carried out in the performance, owing to the disapproval of the actors, our author returns to the idea in the *Barbier* (end of act III), and here in the *Mariage.*

ACT III

103. *Stage direction.* **une impériale en dais :** 'a canopy'; cf. *l'impériale d'un omnibus.* — **portrait du roi :** The king's name is not mentioned, and no hint is given which would determine the exact time when the action is supposed to take place, but we know that the author's original idea referred definitely to the reign of Louis XVI. See Introduction, pp. xxxvii and xxxviii.

SCENES I AND III

1. **entendu :** here = *compris.*

104, 1. **Ame qui vive :** 'Not a living soul.'

2. **le cheval barbe :** 'the barb,' or 'Barbary horse.'

4. **Ferme :** 'Ride hard.' — **d'un trait** = M.F. *d'une traite,* 'at a stretch,' 'without stopping.'

7. **Dans l'hôtel** = *A l'hôtel.*

8. **depuis quel temps** = *depuis quand*.

12. **m'en rendez compte:** Formerly an imperative affirmative, when joined to another preceding it by *et, ou, mais* might have the pronoun objects before it. Cf. 'Va, cours, vole et nous venge' (Corneille). This happens also occasionally in modern poetry.

Scene IV

105, 3. **entreprise:** see note to p. 3, l. 4.

7. **Le fil m'échappe:** i.e., 'I don't see the connection'; *fil* = *liaison, enchaînement.* Cf. "J'ai conduit tous les fils de cette vaste intrigue" (Raynouard).

11. **Où m'égaré-je:** 'Where are my wild thoughts leading me?'

14. **ris** = *rires*.

18. **Qui donc . . .:** i.e., *Qu'est-ce qui donc . . .*

21. **sans débat:** 'and met no resistance.'

25. **détournée:** 'indirect.'

Scene V

106, 5. **Les amours:** 'The sweetheart.'

107, *Stage direction.* **assurer** = *attacher*.

108, 1. **donner le change:** 'put on the wrong scent.'

5. **avis** = *renseignement*.

6. **la Morena:** the Sierra Morena, a chain of mountains in the south of Spain, on the northern edge of Andalusia. *Morena* is the Spanish for 'dark,' 'black.'

14. **Voyons le venir, et jouons serré:** 'Let us see what he is driving at, and play a cautious game.'

109, 9. **tâter d'un** = *goûter à un*.

11. **un pied de bœuf salé:** 'a quarter of corned beef.'

12. **sans pain:** to the continental European the Englishman seems to use very little bread. In spite of Figaro's enthusiasm for the expressiveness of the English language, he is apparently not impressed by the style of entertainment offered on the island.

13. **clairet:** a pale red wine. English 'claret' comes from *clairet*, but the French equivalent for 'claret' is *vin de Bordeaux*.

17. **vont trottant menu:** 'go mincing along.'

19. **mignardement** = 'daintily.'

21. **sangle:** M.F. would prefer *cingler* ('to lash,' 'to hit'). — **crocheteur:** 'porter.'

This famous tirade on the English language, which never fails to delight the pit, was written for the first performance of the *Barbier*, 1775, in the scene where the count recognizes Figaro (act I, scene i; cf. Loménie, *Beaumarchais*, I, 463, 464). It was later suppressed, only to be revived in *Figaro*. The French often used '*goddam*' as a nickname for an Englishman, a usage dignified by centuries of tradition and by the example of Joan of Arc, who, when she was before her judges, is reported to have said: "Quand il y aurait en France cent mille 'goddem' de plus qu'il n'y en a, il n'en restera pas un, excepté ceux qui mourront!" With regard to Beaumarchais' knowledge of the English language Lintilhac remarks: "il ne savait guère que *goddam*."

110, 7. **dans son genre:** 'in his own style.'

11. **Je la préviens sur tout** (= *en tout*): 'I anticipate all her wishes.'

17. **association:** 'partnership.'

111, 1. **Combien me donnâtes-vous,** etc.: Refers, of course, to the episode forming the subject of the *Barbier*.

2. **du docteur:** i.e., Bartholo. Figaro's evasion seems to imply that he received no reward for his earlier services, but his position of concierge at the château was a substantial recompense. Nothing very definite is said on this point in the *Barbier*, but promises are given; see *Barbier*, act I, scene iv, and especially scene vi.

8. **torts** = *fautes*.

10. **Y a-t-il beaucoup,** etc.: Figaro here repeats in substance what he had said in the *Barbier*, act I, scene ii:

LE COMTE. Paresseux, dérangé . . .

FIGARO. Aux vertus qu'on exige dans un domestique, Votre Excellence connaît-elle beaucoup de maîtres qui fussent dignes d'être valets?

18. **A la fortune:** depends on *renonce*.

112, 1. **conciergerie:** 'position as porter,' 'janitorship.'

3. **étrenné des nouvelles intéressantes:** Renault interprets: "Auquel on fera des cadeaux à cause de ses nouvelles intéressantes";

but the other meanings of *étrenner* suggest the possible sense of 'to whom interesting news has been first entrusted.' Figaro's tastes would make him covet such a privilege.

7. **j'aurais bientôt . . . tête:** 'I should soon have more than enough of marriage.'

113, 1. **surtout de pouvoir:** 'especially to be able to do things.'

4. **des plumes:** i.e. 'quills.'

7. **amollir des cachets:** This hints at the activities of the *Cabinet noir*, a secret office in the postal service where the secrecy of correspondence was violated. It was instituted by Louis XIV. Cf. Gudin, *Histoire de Beaumarchais*, p. 128.

8. **la pauvreté des moyens:** 'the wretchedness of the means.'

12. **volontiers:** 'as you please.'

13. **germaines** = M.F. *sœurs* (*nées d'un même père et d'une même mère*); Eng. 'germane.'

14. **J'aime mieux ma mie,** etc.: a line aptly taken from the old song that Alceste quotes in Molière's *Misanthrope*, I, ii, as a contrast to the affectation of Oronte's sonnet.

> Si le roi m'avait donné
> Paris, sa grand' ville,
> Et qu'il me fallût quitter
> L'amour de ma mie,
> Je dirais au roi Henri:
> Reprenez votre Paris;
> J'aime mieux ma mie, oh gué!
> J'aime mieux ma mie.

ma mie = *m'amie*, Old French for *mon amie* (' my sweetheart'). — *gué*: exclamation of joy, probably a corruption of *gai*.

15. **du bon roi:** probably Henri IV.

17. **Je l'enfile:** 'I am fooling him.' Literally *enfiler* = 'to run through with a sword.' — **en sa monnaie:** 'in his own coin.'

22. **souffler:** see note to p. 11, l. 16.

114, 2. **l'ordonnance:** 'the law.'

5. **Tempo è galant' uomo:** 'Time is a man of honor.'

9. **Il a joué au fin** = *Il a lutté d'adresse;* 'tried a battle of wits.'

Scenes VI, VIII and IX

10. **Don Gusman Brid'oison :** for the satire on this name see note to p. 2, l. 16.

13. **prud'homme :** i.e., "homme expert et versé dans la connaissance de certaines choses" (L); 'legal authority.'

115, 12. **vous vous entendez :** 'you are scheming together.'

116, 5. **vapeurs :** "exhalaison des humeurs morbides du corps qui, dans l'opinion populaire, monte au cerveau et produit un état de malaise" (H.D.); translate 'vapors,' formerly used in English in the same way.

6. **éther :** i.e., 'smelling salts.'

11. **mal de condition :** i.e., *mal de gens de qualité.*

Scenes XI, XII, XIII and XIV

119, 6. **Je donnais là dans :** 'I was falling into.'

8. **arrêt :** 'verdict.'

121, 5. **Est-ce que j'ai acheté ma charge,** etc.: on the venality of legal office, see Rambaud, *Histoire de la civilisation fr.*, II, 139–141.

122, 3. **Dans-ans quel temps?** = *A quelle époque?*

4. **Un peu moins d'un an,** etc.: This is another fragment cut from the longest redaction of the *Barbier* (second manuscript form), last scene of the last act.

8. **tu-u fais ici des tiennes?** 'you are up to some of your tricks here?'

9. **une misère :** 'a mere trifle.'

12. **A-t-il vu mon-on secrétaire . . .?** A sly reminiscence of the Goëzman affair and the fifteen louis demanded for the secretary. Cf. Introduction, page xvi.

14. **il mange à deux râteliers :** cf. *manger à plus d'un râtelier = tirer du profit de plusieurs endroits différents; râtelier =* 'a (suspended) manger,' 'crib.'

16. **extrait :** 'brief.'

123, 1. **les formes :** cf. Rabelais, *Pantagruel*, III, chap. xl, where Bridoye justifies the value of all his legal documents by *'la forme.'* See also p. 124, l. 4.

8. **je m'en rapporte à :** 'I rely upon.'

124, 6. **procureur:** 'attorney.'

8. **l'audience:** 'the court.'

Stage direction. **glapissant:** 'calling with a loud, shrill voice.' Of dogs, *glapir* = 'to yelp.'

Scene XV

For the vivid, amusing picture that Beaumarchais here gives us of eighteenth century justice, he had overabundant materials at hand in his own experience.   See Introduction, pp. xi, xiv–xvii.

10. **causes:** 'cases.'

11. **Pédro George:** the Spanish for *George* is *Jorge.*

12. **Hidalgo:** Spanish for 'nobleman.'—**Baron ... otros montes:** Span. for 'Baron of the High and Wild Mountains, and other mountains.'

13. **Alonzo Calderon:** not the famous dramatist Pedro Calderón de la Barca (1600–1681).

125, 1. **mort-née:** ('still-born') 'a complete failure.'

3. **Hors de court:** 'Dismissed.'

7. **receveur:** 'tax collector.'

8. **forcement arbitraire:** 'arbitrary demand for the payment of uncollected taxes.' *Forcement (de recette)* = 'exercice du droit qui appartient à l'administration de faire payer par ses commis les impôts qu'ils ont négligé de percevoir' (L.).   The peasant has paid his taxes to the collector; the administration has exacted from the latter a larger sum than he received; so he is endeavoring arbitrarily to recover the balance from the peasant.

9. **de mon ressort:** 'within my jurisdiction.'

10. **près du roi** = *auprès du roi.*

16. **Què-el patron?** i.e., 'What patron saint?'

18. **Qualités:** 'Rank, profession,' etc.

126, 6. **dudit ... par ladite:** 'of the aforesaid ... by the aforesaid.'

9. **le vœu:** 'the sanction, pleasure.'

13. **suant à froid:** 'in a cold perspiration.'

16. **Messieurs:** said pointing to the judges and lawyers.

18. **l'oratio pro Murena:** one of Cicero's famous orations, in defence of the Consul Murena, accused of bribery.

127, 3. **Oui, promesse :** ironical; cf. note to p. 32, l. 3.

8. **damoiselle :** older form of *demoiselle.*

10. **piastres fortes cordonnées :** 'milled Spanish piastres' (dollars). The piastre varies greatly in value in different countries. The Spanish coin (called in French *piastre forte*) was worth about five francs.

12. **par forme de reconnaissance :** according to Bartolo's version of the document, it would mean, 'as an expression of my gratitude,' but according to Figaro's interpretation given later, it would mean, 'as a payment (in recognition) of the debt.'

19. **Thalestris :** queen of the Amazons.

128, 11. **les parties** = *les plaideurs.*

16. **un pâté :** 'a blot.' Brid'oison, in the following speech, is confused by the double meaning of the word.

129, 5. **donzelle :** 'wench'; like *demoiselle* derived from Lat. *dominicella,* but borrowed from the Italian *donzella.* — **à pédant, pédant et demi :** i.e., 'if he tries to be a pedant, I can go him one better.' Cf. *à trompeur, trompeur et demi.*

10. **nous passons :** 'we grant.'

11. **acte :** 'decision, declaration to that effect.'

18. **gros :** the eighth of an ounce. Some editions have incorrectly *grains.*

130, 5. **sots ou méchants :** The use of *méchants* here seems quite unjustified. Apparently the standard editions have perpetuated an omission which is evidently supplied by the reading of the Paris unauthorized edition of 1785 (Cordier, no. 130), where the passage appears thus: "Autre exemple: *ou n'écrivez rien de bon, ou les sots s'élèveront contre vous,* ou bien *les sots s'élèveront contre vous*; *ou les méchants vous dénigreront,* ou bien *les méchants vous dénigreront:* car, audit cas, *sot* ou *méchant* sont les substantifs qui gouvernent." This superiority of the pirated edition over the authorized one supports the preference for "dans la mienne" in the Romance, p. 58, l. 11.

15. **séparés de biens :** 'keeping our property rights separate.'

16. **Et nous de corps :** understand *séparés* after *nous.* Cf. the legal term *séparation de corps et de biens* = 'legal separation.'

18. **Plaisant acquittement !** 'Absurd settlement!'

131, 7. **des tiers:** 'outside parties.'

9. **deviendraient:** notice the conditional.

10. **institut** = *institution* (i.e., the law).

11. **balbucifier:** illiterate blunder for *balbutier.*

12. **corrompu:** 'bribed.'

132, 1. **avant faire doit** = *avant de prononcer un jugement.* This case within a case again recalls the Goëzman affair growing out of the LaBlache suit; cf. pp. xiv–xvii.

7. **motivant:** 'justifying.'

10. **impliqueraient:** understand *contradiction;* i.e., *feraient contradiction, seraient incompatibles.*

14. **garder sa personne:** 'retain his independence.'

133, 7. **vas:** archaic or provincial for *vais.*

Scene XVI

12. **voyez comme il revient:** ironical. A reference to Bazile's grotesque errand, act II, scenes xxii, xxiii.

134, 2. **ce gros enflé:** a direct imitation of Rabelais, *Pantagruel,* II, xvii: "Quand le gros enflé de conseiller . . . a pris son bransle . . ."

5. **une fois** = *une fois pour toutes.*

7. **l'aveu** = *le consentement.*

11. **Le fat** (*t* pronounced): 'The coxcomb.'

14. **injure** = *injustice* (archaic meaning).

15. **quand les langes . . . n'indiqueraient pas:** 'even though the swathing cloth . . . did not reveal.'

135, 8. **D'où savez-vous** = *Comment savez-vous?*

136, 5. **Voilà ton père:** With this scene of identification it is interesting to compare the passage in the *Lettre-Préface* of the *Barbier,* where Beaumarchais sketched in burlesque outlines the life of Figaro and the recognition episode of the *Mariage.* In a jocular tone he proposed it as a tragic sixth act for the *Barbier.*

6. **aïe de moi!** = *hélas, que je suis malheureux!*

137, 1. **Si pareils souvenirs . . .** In the *Barbier* (act I, scene iv), when the Count asked Figaro what was Bartholo's sense of honor, Figaro replied: "Tout juste autant qu'il en faut pour n'être point pendu."

5. **fautes:** 'indiscretions.'

6. **Oui, déplorable!** The following speeches of Marceline offer a most important document in the history of the feminist cause. Her spirit of revolt is as significant in its way as that of Figaro, and presents an interesting pendant to the ideas of Condorcet.

10. **je la suis devenue** = *je le suis devenue.*

138, 4. **état:** 'occupation,' 'profession.'

5. **à toute la parure:** i.e., *à la fabrication de toute,* etc. — **on y laisse former,** etc.: 'they let a thousand workers of the other sex be trained for this work.'

8. **Ils font broder,** etc.: 'They even make the soldiers do embroidery work.' "Pour l'intelligence de ce passage il suffit de rappeler que peu d'années avant la Révolution française, Hoche, alors sergent aux gardes-françaises, brodait des gilets d'officiers. Il partageait ces travaux d'aiguille avec un de ses camarades devenu plus tard, comme lui, l'une de nos gloires militaires" (Beauquier, edition of the *Mariage,* Paris, Lemerre).

17. **Que trop raison:** 'Only too right.'

22. **ne dépendra,** etc.: 'will be entirely independent'; that is by reaching her majority.

139, 2. **qui te chériront à qui mieux mieux:** 'who will vie with each other in their love for you.'

6. **parles d'or** = *parles excellemment.* — **je me tiens,** etc.: 'I am of your opinion.'

7. **des mille mille ans** = M.F. *des milliers d'années.*

12. **chamailler** = *batailler,* 'squabble' (to-day used reflexively).

13. **peser sur le collier:** 'pressing against, dragging on the collar.' The reference is to tow-horses.

14. **de la remonte des fleuves:** 'towing up stream.' — **reposent** = *se reposent.*

19. **impo-osez à:** archaic for *trompez.*

22. **j'ai manqué . . . d'assommer:** 'I have almost knocked down, or killed.'

140, 3. **le plus maternellement,** etc.: a regrettable touch of frivolity and cynicism, but partly excusable if we remember that Figaro, for fear of giving way to emotion, hastens to turn everything into a joke. Cf. *le Barbier,* I, ii: " Je me presse de rire de tout, de peur d'être obligé d'en pleurer." In our next scene he abandons his forced gaiety and gives way to his tears, the first he has ever shed.

Scene XVIII

In the middle of this scene we are carried for a moment out of the field of comedy into the emotional 'drame.'

10. **Ah! oui, payer!** Sarcastic. Antonio has not witnessed the identification.

141, 3. **à gré** = *de bon gré.*

6. **C'est-il ça de l'amour?** 'Is that what you call love?" The rest of the speech is said to Suzanne.

11. **marchande** = *épargne.*

142, 3. **C'est donc de tout à l'heure?** Explained by Figaro's reply.

7. **le bon sens:** *sens* here puns upon the preceding *sang.*

9. **témoin l'argent:** refers to the proverbial love of the borrower for the lender.

143, 2. **des premières larmes,** etc.: "Les critiques . . . prétendent que le parterre rit quand Figaro larmoie; c'est un effet que nous n'avons jamais pu noter ni au Théâtre-Français, ni à l'Odéon. Il nous semble, au contraire, que le public prend de plus en plus Figaro au sérieux, comme faisait Coquelin aîné, qui y fut si brillant à la fois et si pathétique, et que Beaumarchais certes eût applaudi sur les deux points" (Lintilhac, *Hist. gén. du théâtre,* IV, 423, note 2).

Stage direction. **d'un mouchoir** = *avec un mouchoir.*

17. **En fait de** = *En matière de.*

18. **va devant:** 'comes first.' He means that before Figaro may marry Suzanne, his parents must first be married.

19. **savez** = *vous savez.* — **se baillent-ils?** = M.F. *se donnent-il?*

144, 1. **marâtre:** literally, 'step-mother,' 'cruel, unnatural mother.' Translate: 'You are only an illegitimate father, then?'

2. **not'** = *notre.*

4. **sti qui** = *celui qui.*

8. **Tarare:** 'Nonsense,' 'Fiddle-de-dee.'

Scene XIX

9. **qui t'adopte** = *quelqu'un qui*, etc.

11. **non :** an exclamation of exasperation here.

145, 1. **petit papa :** 'dear papa.'

2. **de la figure :** 'a fine appearance.'

3. **obole :** 'farthing.' Originally the obolus was a Greek coin. The old French coin was worth one half of a *denier*, which equalled one twelfth of a *sou*.

4. **Et les cent écus :** see note to p. 20, l. 6.

9. **Je me laisse aller** = *Je me laisse faire.*

ACT IV

Scene I

147, 1. **amour** = *mon amour.*

5. **prix :** 'reward,' i.e., 'result.'

9. **l'Excellence** = *Son Excellence.*

12. **la plus bonne :** this comparative, instead of *meilleure*, is used where the sense is 'the kindest hearted.'

148, 1. **galonnés :** 'arrayed,' 'decked them out' (in my imagination).

3. **Aucune des choses,** etc.: This point is worth emphasizing: Figaro, with all his resourcefulness and wit, is continually beaten, though not discouraged, by events, and by his rival's cleverness.

12. **que l'autre aveugle :** i.e., "*l'affamé conquérant.*"

17. **l'emploi de la Folie :** a reference to LaFontaine's fable, *l'Amour et la Folie.* In a quarrel Folly struck Love so that he became blind. The case was tried before the court of the gods:

> "Le résultat enfin de la suprême court
> Fut de condamner la Folie
> A servir de guide à l'Amour."

149, 4. **ta bonne vérité :** i.e., 'the real truth.'

7. **Depuis qu'on . . . sagesse :** suggested by *le Moyen de parvenir*, I, 132 (edit. of 1757).

12. **car toute vérité . . . dire :** a familiar proverb.

16. **le dernier mot :** i.e., 'the lowest (last) price.'

150, 5. **qu'il s'y morfonde :** 'let him go there and wait in vain.'

13. **Ce n'est guère :** 'That's hardly any'; 'That doesn't count.'

15. **En fait d'amour,** etc.: In the first form of the *Barbier* Bartholo remarked: "En fait de femme et d'argent, Bazile, trop n'est jamais assez."

<h2 style="text-align:center">SCENES III AND IV</h2>

151, 13. **troquer :** familiar for *changer un objet contre un autre*. For the situation cf. act III, scenes xxiv–xxvi.

152, 11. **Je vous sais par cœur :** 'I can see through you.'

153, 11. **Je mets . . . compte :** 'I assume the responsibility for everything.'

14. **marronniers :** a kind of *châtaignier* bearing the *marron*, or large, edible chestnut, of which there is only one in each bur. The horse-chestnut is called the *marronnier d'Inde*.

154, 6. **celui du brevet :** cf. act II, end of scene xxi.

Stage direction. **lévite :** see note, p. 3, l. 17.

13. **c'eût été joli :** suggests, of course, the danger of a compromising discovery.

155. *Stage direction.* **serrant :** 'hiding.'

14. **A s'y méprendre :** 'The exact image'; literally: 'enough to make a mistake about it.'

15. **m'a été bien loin :** i.e., 'was far from being intended for me.'

<h2 style="text-align:center">SCENE V</h2>

156, 3. **chapeau d'ordonnance :** 'uniform hat,' 'officer's hat.'

6. **en cadenette :** "au xviiie siecle, longue tresse de cheveux que les soldats d'infanterie portaient de chaque côté de la tête" (H.D.). It was named after Honoré d'Albert, sire de Cadenet, who brought it into fashion in its first form under Louis XIII.

8. **parguenne :** rustic oath for *pardieu; cf. pargué, parguienne. —* **v'là** = *voilà*.

10. **friponneau :** diminutive of *fripon*.

11. **Quand je disais là-haut :** 'Didn't I say up-stairs' (i.e., in the Countess' room); see act II, scene xxi.

157, 3. **badinage :** i.e., of the preceding scene. The Countess is not quite truthful here, as they were dressing Chérubin to take Suzanne's place in the evening (see act II, scene ii).

4. **votre premier . . . vif :** 'your first impulse is so violent.'

158, 4. **épuisez tout :** 'use every endeavor.'

6. **je vous la redresserai :** 'I'll fix (punish) her'; *vous* is dative of interest.

SCENE VI

16. **foulé :** compare this and what follows with act II, scene xxi.

159, 2. **terreau :** 'leaf mould,' 'compost.'

16. **Y est-tu?** 'Do you catch on?'

160, 1. **qu'est-ce qu'il chante?** 'what's he prating about?'

4. **dispute . . . de** = *dispute . . . sur.*

7. **peut gagner :** 'might be contagious'; cf. *la petite vérole se gagne.*

8. **voyez :** 'remember.' — **les moutons de Panurge :** In Rabelais' *Pantagruel* Panurge quarrels with Dindenaut, and to pay him back for an insult, buys one of his sheep, which he throws into the sea. One after another all the rest of the flock follow the leader, jump into the water, and are drowned. Dindenaut tries to save the last one, but is dragged into the sea, and he too perishes (*Pantagruel*, livre IV, chaps. vii, viii.)

12. **On aurait . . . douzaines :** 'Two dozen of us might have jumped.'

13. **dès qu'il** = *puisqu'il.*

SCENES VII, VIII AND IX

161, 6. **de la soirée :** 'all evening.'

9. **pour plus :** 'enough to compensate me for more.'

162, 7. **les deux noces :** 'the two wedding parties.'

Stage direction. **Folies d'Espagne :** "nom donné à un air de danse à trois temps, avec accompagnement de castagnettes" (H.D.) — **d'un mouvement** = *sur un. . . .* — **Symphonie :** not used here in the modern sense, but in the earlier meaning of 'orchestral introduction,' 'overture,' and also 'accompaniment.'

12. **L'Alguazil :** here = *L'Huissier.*

163, 11. **ajustements** = *parure.*

12. **à chaque côté** = *de chaque côté.*

13. **danse . . . fandango:** dance once through the fandango; lit. dance a repetition (*reprise*), i.e., the passage in the dance music which is marked to be repeated. — **fandango:** Spanish dance in ¾ time, with castanet accompaniment.

14. **ritournelle:** ritornello, short musical phrase preceding and following each stanza. Here it is the prelude.

164, 7. **objet aimé** = *femme aimée.*

8. **c'est une drôle de tête:** 'he is a funny fellow.'

165, 4. **Bazile entouré,** etc.: cf. act II, the end of scene xxii, scene xxiii.

8. **complaisance:** i.e., her generosity, especially in passing over the episode of Fanchette in scene v.

11. **Il n'arrive:** refers to Bazile.

12. **le faire déchanter** = *le faire changer de ton,* in the satirical sense of 'take him down a peg.'

Scene X

Stage direction. **du vaudeville de la fin:** i.e., at the end of the last act.

166, 13. **qui est de sa compagnie,** see act II, end of scene xxii.

16. **leux** = *les.* — **guenilles:** 'scraps,' 'trifles.' — **ariettes:** 'tunes.'

167, 3. **l'effet:** 'the carrying out,' 'execution.'

4. **approximer:** burlesque for *approcher de près.* A word quarrel between Figaro and Bazile had appeared in the longer form of the *Barbier,* but was later omitted.

9. **airs de chapelle:** 'choir music.'

14. **Jockey:** pronounced ʒɔkɛ; borrowed from the English; origin, 'Jackey'; admitted by the Académie in 1835.

168, 2. **Il me manque,** i.e., *Il me manque de respect.*

6. **il n'est pas** = *il n'y a pas.*

8. **Brailler:** 'Squall,' 'bawl.'

11. **flagorne:** (= *flatte bassement*) 'fawn upon you.'

12. **gratifier:** 'reward,' 'tip,' 'bribe.'

16. **pourvue:** understand *d'un mari.*

169, 5. **Qu'à cela ne tienne!** 'That makes no difference,' 'He need not stand in the way.'

13. **je n'y suis plus de rien:** 'I'll have nothing more to do with it.'

Scenes XI, XII, XIII and XIV

170, 5. **j'y signerai** = *je les* . . .

171, 3. **l'artifice** = *la pièce* or *le feu d'artifice.*

17. **m'en faire accroire :** 'impose on me.'

172, 1. **la jalousie . . . :** Marceline was probably about to express some such familiar idea as *La jalousie est le plus grand des maux.*

10. **malhonnête :** 'impolite,' ' bad manners.'

11. **mais comme cela est utile,** etc.: i.e., 'but since that (eaves-dropping) is useful, they often make one thing (bad manners) serve the ends of the other' (utility). With these remarks compare the *Barbier,* act II, scene x:

ROSINE. Et vous les avez écouté, monsieur Figaro? Mais savez-vous que c'est fort mal!

FIGARO. D'écouter? C'est pourtant ce qu'il y a de mieux pour bien entendre.

173, 5. **petit cousin :** cf. note to p. 145, l. 1.

8. **un mét . . . :** interruption of *un métier.*

12. **A qui donc,** etc.: 'With whom is he vexed to get angry like this?'

16. **je suis au fait :** 'I know all about it.'

Scenes XV and XVI

175, 2. **Pour celui-ci** = *Quant à cette affaire.*

7. **partir :** 'burst.'

16. **tant d'humeur :** i.e., *mauvaise humeur.* — **sur ce feu :** supply *d'artifice.* — **mignonne :** this word often had uncomplimentary suggestions.

19. **fait** = *avancé.* — **légitimer** = *justifier.*

176, 16. **les voies** = *la conduite.*

21. **nigaud** = *sot, niais.*

"On doit convenir que, malgré le plaisant assaut de quolibets entre Figaro et Basile, malgré le divertissement que l'auteur nous donne dans la cérémonie du mariage, quoique les dernières scènes soient très liées au sujet et intéressantes, et qu'il y ait de l'esprit partout, ce quatrième acte prépare longuement et peut-être inutile-

ment le cinquième" (Lintilhac, *Hist. gén. du théâtre*, IV, 424, 425).
In the operatic form the author combined the third and fourth acts.

ACT V

177. *Stage direction.* **une salle de marronniers:** a glade among
the chestnut-trees — **kiosques:** (Turkish *kiouchk*) 'summer houses.'
To-day *kiosque* is the regular name for a circular news stand or
band stand. The word was admitted by the Academy in 1762. —
ornée: i.e., with vases, statuary, etc.

SCENES I AND II

3. **office** (fem.): 'butler's pantry.'

7. **Et quand ça serait:** 'And what if it were?' (the person you
suppose, namely Chérubin).

9. **un fier baiser:** 'a smacking kiss.'

11. **fait un cri** = *pousse un cri.*

178, 7. **noirs apprêts:** 'mysterious preparations.'

15. **célébrer:** 'pay honor to.'

179, 2. **m'en croyez:** 'take my advice.'

8. **ne se fait point d'affaires:** 'does not get into trouble, into
quarrels.'

11. **ils ont quinze et bisque:** 'they have a big advantage'; literally,
'they have a lead of fifteen and bisque (over us),' an expression borrowed from the *jeu de paume. Bisque* was a handicap of fifteen points;
it is used in English in court tennis to-day. The old figure, *donner
quinze et bisque* (= *être bien supérieur*), was at one time quite common.

13. **industrie:** here in the sense of 'sharpness,' 'cleverness.' Cf.
*un chevalier d'industrie = homme d'une habileté peu scrupuleuse, qui
vit d'expédients.*

17. **Verte-Allure:** see Marceline's names in act III, scene xv, p.
125. Verte-Allure means approximately ' frisky.' — **du chef:** legal
term = 'inherited, derived from'; cf. il a tant de biens du chef de
son père.

180, 1. **Il a le diable au corps:** 'he is mad.'

3. **se sont arrangés** = *se sont entendus; ont réglé l'affaire.*

4. **algarade:** here means 'trick,' 'escapade,' rather than 'scolding,' 'blowing up.' The early meaning of the word was 'a sudden raid or attack.'

6. **entours:** same meaning as the more common *alentours* which is derived from it. — **par la mort . . . aux dents:** Figaro here plays on the words *mort* and *mors* (a horse's bit), recalling the expression *prendre le mors aux dents*, said of a horse that runs away, or of a person who gives way to passion or fury.

10. **Monsieur du marié:** sarcastic.

Scene III

13. **Après m'avoir . . . maîtresse:** refers to the kiss Figaro tried to get, act IV, scenes i (end) and ii. The rest of the sentence refers to the note which Suzanne gave the Count, act IV, scene ix.

181, 7. **vous vous êtes donné la peine de naître.** These words and the expression just below: **tandis que moi, morbleu!** are often quoted as highly significant of the spirit that led to the French Revolution. "Ce qui fait l'éternel à-propos de Figaro, c'est qu'il est une sorte de manifeste vivant contre les inégalités justes ou injustes de la société. Un homme se croit-il placé au-dessous de son mérite, un peuple a-t-il ou croit-il avoir plus d'esprit que ses ministres, il aime et applaudit Figaro. Quand Figaro se compare, lui qui n'est rien, au comte Almaviva, qui est tout, quand il s'écrie avec un orgueilleux dépit: *Tandis que moi, morbleu . . . !* que de gens se disent aussi: 'Et nous, morbleu . . . !' Ce *moi, morbleu!* est la devise de la pauvreté contre la richesse, de l'esprit en disgrâce contre la fortune en faveur; c'est aussi la plainte de la vanité mécontente. A ce compte, puisque Figaro répond à tant de sentiments, bons ou mauvais de notre nature, c'est un personnage qui cessera plutôt d'être joué que d'être applaudi" (Saint-Marc Girardin).

12. **toutes les Espagnes:** refers to the various kingdoms, such as Aragon, Castille, Leon, etc., which were finally united under Ferdinand and Isabella in 1469.

13. **jouter:** 'fight,' 'dispute.'

14. **en diable** = *diablement.*

15. **de mari:** i.e., *de mari jaloux.*

16. **Est-il rien de plus bizarre . . . :** Observe how Beaumarchais

delights to relate the adventures and struggles of Figaro, recalling
so many of his own experiences. Cf. the *Barbier*, act I, scene ii.
The present autobiographic sketch completes by a number of details
the one in the *Barbier*.

19. **courir une carrière:** (= *embrasser une . . .*). The verb
courir was often used in this figure.

25. **à corps perdu:** 'headlong.' — **me fussé-je mis . . .:**
'would that I had tied . . .'

26. **Je broche:** 'I scribble off.'

27. **mœurs du sérail:** The study of oriental manners, stimulated
by the travel descriptions of Bernier, Chardin and Tavernier, and
by Galland's translation of the *Mille et une Nuits* (1708), was at its
height by the end of the eighteenth century and the early part of the
nineteenth; cf. the *Lettres Persannes* of Montesquieu and the tales of
Voltaire. Beaumarchais himself had already partly composed his
oriental opera *Tarare*, in which the seraglio plays an important part.

28. **fronder:** (lit. = 'throw a stone with a sling') 'have a fling
at,' 'satirize.' Cf. the insurrection called the 'Fronde' under
Mazarin, 1648–1652.

182, 1. **Sublime Porte:** name of the Ottoman government, so
called from the high gate giving access to the offices of the principal
departments of state. The French expression is a translation of the
Turkish *Bab Aliy*.

3. **Barca:** Turkish territory on the north coast of Africa, between
Egypt and Tripoli.

7. **omoplate:** 'shoulder blade'; humorous here for *dos*, or *épaule*.
In the first form of the *Mariage*, after Figaro mentions this dramatic
failure, he proceeds with the following piece of satire on religious
intolerance, important enough to be cited in full: "Pour me consoler
et surtout pour vivre, je m'amusai à en composer une autre (pièce)
où je dépeignis de mon mieux la destruction du culte des Bardes et
Druides et de leur vaines cérémonies. Il n'y a pas d'envoyé de ces
nations, qui n'existent plus, me dis-je, et pour le coup ma pièce n'aura
rien à démêler avec les ministères, et les comédiens la joueront, et
j'aurai de l'argent, car le neuvième de la recette m'appartient; mais je
n'avais pas aperçu le venin caché dans mon ouvrage, et les allusions
qu'on pouvait faire des erreurs d'un culte faux aux vérités révélées

d'une religion véritable. Un officier d'Église, à hausse-col de linon, s'en aperçut fort bien pour moi, me dénonça comme impie, eut un prieuré, et ma pièce fut arrêtée à la troisième représentation par le *bishop* diocésain; et les comédiens, en faisant mon décompte, trouvèrent au résultat que, pour mon neuvième de profit, je redevais cent douze livres à la troupe, à prendre sur la première pièce que je donnerais, et que le *bishop* laisserait jouer" (published by Lintilhac in the *Revue des Deux Mondes*, CXVI, mars 1893, p. 157; reprinted in his *Hist. gén. du théâtre*, IV, 434, 435).

9. **creusaient** = *se creusaient.* — **mon terme était échu :** 'my rent was due.' *Terme* = *loyer de trois mois.*

10. **recors :** 'bailiff,' 'assistant sheriff.'

13. **tenir les choses** = *posséder les choses.*

16. **le pont d'un château-fort :** this building was specifically named the Bastille in the autograph fragment of a first version of the *Mariage.* See note to line 7, above. Here is the original passage: "Mon livre ne se vendit point, fut arrêté et, pendant qu'on fermait la porte de mon libraire, on m'ouvrit celle de la Bastille, où je fut fort bien reçu en faveur de la recommandation qui m'y attirait. J'y fut logé, nourri pendant six mois, sans payer auberge ni loyer, avec une grande épargne de mes habits, et, à le bien prendre, cette retraite écomonique est le produit le plus net que m'ait valu la littérature. Mais comme il n'y a ni bien ni mal éternel, j'en sortis à l'avènement d'un ministre qui s'était fait donner la liste et les causes de toutes les détentions, au nombre desquelles il trouva la mienne un tant soit peu légère" (Lintilhac, *Rev. d. Deux Mondes*, CXVI, 157; also in his *Hist. gén. du théâtre*, IV, 432–434).

19. **puissants de quatre jours :** 'men temporarily in power,' 'mushroom tyrants'; *quatre* is often used as an indefinite, equivalent to *quelques;* cf. *à quatre pas,* 'a little way off.' — **légers sur :** 'flippant about.' This sentence may refer indirectly to the abuse made of the 'lettres de cachet,' which, with the space for the name often left blank, gave the royal authorization for arrest, imprisonment, etc. (See the amusing episode related in Loménie, *Beaumarchais*, II, 332, note.)

21. **cuvé son orgueil :** 'taken down his pride'; cf. *cuver son vin,* 'to sleep off the effects of wine.'

23. **le cours** = *la circulation.*

29. **de quoi il est question:** 'what is the latest topic of interest.'

183, 8. **qui tienne à:** 'connected with.'

10. **deux ou trois censeurs:** both the *Barbier* and the *Mariage* passed through the hands of several censors before they were performed in public.

13. **Pou-ou!** 'Whew!'

14. **pauvres diables à la feuille:** 'wretched pamphleteers.'

16. **m'allait saisir** = *allait me saisir.* The first order, formerly very common, is now generally avoided, though still used, by good writers.

17. **propre:** 'suited for.'

19. **je me fais banquier de pharaon:** 'I run a faro bank.' The game of faro was very popular in France in the reign of Louis XIV and in the eighteenth century. A picture of an Egyptian Pharaoh was on the back of the French cards. The main principle of the game is the betting of the players, against the dealer, on the cards that are turned up. The banker always wins half the money staked on the cards of a turn, if they happen to be alike. The opportunities for trickery are abundant.

21. **les personnes dites** *comme il faut:* 'the so-called *select* people.'

23. **me remonter** = *me relever.*

27. **Pour le coup:** 'This time.'

28. **je quittais** = *j'allais quitter.*

184, 2. **trousse:** 'case' (of razors and instruments). — **cuir anglais** = *cuir à rasoir,* 'strop.' — **la fumée:** i.e. ,'earthly vanity'; cf. *la fumée de la gloire.*

6. **Un grand seigneur passe . . . je le marie.** This is a rapid summary of the *Barbier de Seville.* See p. xliv.

11. **à la file:** 'one after the other.'

28. **mais paresseux,** etc.: Though most of this latter part of the monologue applies very exactly to Beaumarchais himself, he could never be justly accused of laziness. The careful polishing of his plays would in itself alone be a monument to his energy and industry. For the application of the monologue to our author see the close of Hallays' *Beaumarchais.*

29. **par occasion** = à *l'occasion*. The literal meaning of the former is *accidentellement*.

This famous monologue has sometimes been severely criticized not only for its spirit of revolt, but also for its length. Two quotations will show the general attitude of recent criticism:

"Nous ne prétendons pas que même là (in dialogue and monologue) il n'ait pas ses défauts . . ., nous estimons seulement que ceux-ci sont invisibles à la représentation. Que le monologue de Figaro, par exemple, suspende l'action, on peut le remarquer à la lecture, mais le public ne s'en aperçoit guère, lui que nous avons vu applaudir même à celui de Charles-Quint dans *Hernani!*" (Lintilhac, *Hist. gén. du théâtre*, IV, 456).

"Dans cette nuit du cinquième acte, au moment décisif et critique, c'est là, qu'avant de se dénouer viennent comme se rattacher d'abord tous les fils de l'action. S'il y a une "philosophie" dans la pièce, elle est là. Et c'est ce monologue enfin qui donne au chef-d'œuvre sa portée supérieure et unique. Ôtez le monologue: Figaro n'est plus qu'un valet comique, plus habile, mais aussi plus prétentieux que les autres, un Frontin ou un Crispin de plus haute volée, le roi des fourbes, un Mascarille ou un Gil Blas. Mettez le monologue: il se tire de pair, et devient, sinon le prophète ou le précurseur, mais l'avant-courrier ou le clairon de la Révolution prochaine. C'est autre chose encore . . . c'est la protestation de la ruse, mais aussi de l'intelligence ou de l'esprit, contre la force et contre l'iniquité. Que dis-je! c'est un symbole de la résistance ou de la révolte de la liberté humaine contre la fortune qui l'accable et la matière qui l'opprime . . . Et voilà pourquoi le *Mariage* sans le monologue serait encore une des pièces les plus amusantes et, comme on dit, les plus mouvementées de notre répertoire, il ne serait pas le *Mariage de Figaro*, — quelque chose d'absolument original, et d'incomparable, et d'inimitable, et d'unique" (Brunetière, *Époques du théâtre français*, pp. 309 f. See also Lintilhac, *Hist. gén. du théâtre*, IV, 424, note).

SCENES IV, V AND VI

185. *Stage direction*. **Marceline:** In act IV, scene xvi, we were prepared for her appearance here.

186, 4. **le serein :** 'the chilly damp.' When Figaro repeats the word just below, he suggests the other word, of identical pronunciation, *serin* ('canary'), 'gullible person,' 'gull.' His words, in any case, express incredulity.

5. **toute faite** = *bien faite*, 'quite used to.'

Stage direction. **reprise :** cf. note to p. 163, l. 13. The romance is the one in act II, scene iv.

188, 9. **On dit qu'il ne faut . . . :** cf. p. 172, l. 10.

11. **de vous retirer** = *en vous retirant.*

189, 4. **le plus attrapé :** 'the one most fooled.'

5. **brigandeau :** diminutive of *brigand.*

6. **hardi . . . page :** a common simile; cf. *éffronté comme un page ; un tour de page* ('a roguish trick').

8. **une jolie mignonne :** see note to p. 175, l. 16.

Scene VII

190, 3. **toujours le premier payé :** 'in any case the first one (kiss) paid back.'

4. **Tout n'est pas gain . . . :** cf. above p. 188, l. 9.

12. **salle :** 'arbor,' 'glade.'

191, 2. **je l'ai pris :** i.e., ' le baiser.'

7. **qu'il s'en faut,** etc.: 'how far the Countess is from having. . . .'

9. **Oh ! la prévention :** 'Oh! the power of prepossession, *or* prejudice!'

14. **l'histoire :** i.e., 'the real fact,' 'the substantial part.'

192, 14. **satiété :** (pronounce sasjete).

193, 14. **agaçante :** 'provoking,' 'piquant.'

194, 1. **brillant** = *diamant (taillé à facettes).*

5. **du bon bien,** etc.: 'a good, substantial nest egg for us.'

6. **intéressée :** i.e., 'susceptible to a gift,' 'can be won by presents.'

Scene VIII

195, 6. **l'asseoir** = *l'établir.* — **que ne . . .** = *pourquoi ne. . . .*

8. **un tour de main :** 'a trice.'

9. **au fait :** 'thoroughly informed.' — **à quoi s'en tenir :** 'what's what.'

196, 12. **faisait de la réservée** = *faisait la réservée*, 'pretended to be so modest.'

197, 7. **en ont cent** = *ont pour cela cent.*

8. **Celui:** i.e., *le moyen.*

198, 6. **La main me brûle!** 'My hand is itching' (to slap him).

14. **demonio:** Ital. and Span. for 'devil.'

199, 1. **ques-aquo:** the Provençal formula for *qu'est-ce que cela?* It was a favorite expression of Beaumarchais' enemy Marin, and our dramatist made it the closing words of his second portrait of the pamphleteer in the fourth *Mémoire* (cf. p. 348 of the Garnier edition). The dauphine, Marie Antoinette, often repeated it humorously. Her milliner took up the idea and created a *Quesaco* headdress, composed of a *panache en plumes*, the kind worn by Suzanne in the first three acts. (Cf. Loménie, *Beaumarchais*, I, 345 note, 370 note.) The expression was introduced in the second form of the *Barbier*, but, appearing too personal in 1775, it was cancelled and later on introduced in the *Mariage.* — **de par le diable:** 'in the devil's name.' In this expression the preposition *par* has replaced the original *part.* — **la journée des tapes:** cf. such expressions as *la journée de la Saint-Barthélemy; la journée des Barricades.*

6. **C'est-il ça de l'amour?** Cf. p. 141, l. 6, and note.

7. **Santa Barbara!** (Span. and Ital. for *Sainte Barbe*), virgin martyr of the third century. Her protection is especially sought against the thunder bolt. — **c'est de l'amour:** cf. the proverb: *Qui aime bien, châtie bien* (R.).

10. **diapré:** 'made black and blue.'

19. **par trop:** 'altogether too.'

200, 3. **un innocent:** i.e., 'a simpleton' (a play on *innocente*).

11. **pends-toi:** recalls vaguely the famous remark attributed to Henry IV, writing to Crillon after his victory at Arques, 1589: "Pends-toi, brave Crillon, nous avons vaincu à Arques, et tu n'y étais pas."

13. **femelles** = *femmes.*

201, 5. **était de bonne guerre:** 'was a good, honest one.'

6. **superbe! humilie-toi:** suggests the scene, famous in French history, when St. Remi, at the baptism of King Clovis, pronounced the words: "Courbe la tête, fier Sicambre, adore ce que tu as brûlé, brûle ce que tu as adoré" (R.).

Scenes IX, XI, XII, and XIV

202, 10. l'homme du cabinet : cf. act II, scene x and the following scenes.

Stage direction. la conduisant au cabinet : i.e., *au pavillion.*

204, 2. Arrivant de Séville : cf. act III, scenes i, ii and iii. — à étripe-cheval : 'at breakneck speed.' A vigorous expression for *à bride abattue. Étriper = sortir les tripes.*

5. le paquet : i.e., *le brevet.*

6. Eh l'animal ! 'Oh, you idiot!'

205, 4. m'en répondez : for the order see note to p. 104, l. 12.

6. Mon cavalier : ironical; 'My fine gentleman.'

14. Sommes-nous, etc.: another expression that Beaumarchais felt obliged to excuse in his Preface.

206, 1. Homme de bien : 'Good man.'

12. engagement : 'attachment.'

208, 1. gage d'une union : i.e., 'offspring from. . . .'

9. Bien la peine . . .: 'A nice thing to ride a horse to death for.'

13. L'y a = *il y a.* — parguenne : see note to p. 156, l. 8. — vous en avez tant fait : *en* refers indefinitely to acts of licentiousness. The first redaction of the play (family manuscript) had the following direction added: "Tous les paysans, l'un après l'autre, d'un ton bas et comme un murmure général: Il a raison; bien fait, c'est juste, il a raison, etc., etc." Owing, evidently, to the extreme boldness of these comments, reflecting upon the nobility, they were suppressed.

Scenes XVI, XVII and XVIII

209, 10. palsambleu : an oath; a disguise of *par le sang Dieu.* Cf. English ''Sblood.' — gaillard : 'a jolly trick' (ironical).

12. train : 'rumpus.'

210, 10. A qui pis fera : 'They are seeing which one can do the worst'; 'worse and worse'; cf. *à qui mieux mieux.*

211, 7. Y fussiez-vous un cent : condition expressed by inversion. *Un cent = une centaine;* cf. *un cent de fagots.*

Scene XIX

8. **je ferai nombre :** 'I shall swell the number.'

212, 2. **pardi** (familiar) = *pardieu.*

5. **pour la troisième fois :** previously in act II, scene xix, and act IV, scene v.

10. **Il y a de l'écho ici :** cf. scene vii of this act, p. 193, l. 11.

213. *Stage direction.* **la bourse . . . et le diamant :** the ones given by the Count in scene vii of this act, p. 193, l. 15 to p. 194, l. 1.

6. **Et de trois** = *Cela fait trois.* The other doweries were the ones given by the Countess (act III, scene xvii), and by Marceline (act III, scene xviii).

8. **la jarretière de la mariée.** It was a common thing for the young men at weddings to steal it; the custom still survives in some places. — **l'aurons-je?** rustic for *l'aurai-je?*

214, 1. **chatouilleux :** 'sensitive,' 'susceptible.'

2. **certain soufflet :** see scene vii, p. 190, ll. 1-3.

3. **mon colonel :** the Count was colonel of Chérubin's regiment; cf. act I, scene x, p. 40, l. 17.

8. **et pour la vie :** in her absent-mindedness the Countess understands something like *je vous aime.*

215, 4. **mis à part :** 'secured,' 'safely won.'

Stage direction. **ritournelle :** see note to p. 163, l. 14. — **vaudeville :** here in the older meaning of 'topical song.' To-day it means a light comedy interspersed with songs. The *vaudeville final* of a comedy is 'la chanson qui termine une pièce, et dont chaque personnage chante un couplet,' as here. The word comes from *vau de Vire,* 'Valley of the Vire,' in Calvados, the songs of which were once famous.

11. **fait son parti** = *tire parti, tire profit.*

13. **Gaudeant bene nati :** 'Let those of high birth rejoice!'

15. **Gaudeat bene nanti :** 'Let the man with the well lined purse rejoice!' *Nanti* is the past participle of *nantir,* 'to provide well.'

216, 8. **Jeannot :** dimin. of *Jean;* used to indicate a fool. Cf. the use of *Jeannin = homme qui se laisse duper.*

15. **répond d'elle :** 'gives assurance (guarantee) of her virtue.'

20. **se veille** = *se surveille.* — **lien :** 'conjugal relations.'

217, 2. **aux bons airs :** 'with the gracious (indulgent) manners.'

4. **coin :** 'die,' 'stamp'; cf. English 'coin.'

11. **butor :** 'stupid brute'; its literal meaning is 'bittern,' a bird notorious for its stupidity.

19. **Voltaire :** who rose from comparatively obscure beginnings to be the dominant figure in French literature of the eighteenth century.

22. **dit rage :** archaic for *dit tout le mal possible.*

23. **vous revient** = *revient à vous.*

24. **parterre :** 'the pit'; occupied by the common people, who originally stood through the performance, while the aristocracy occupied the boxes.

_____

"Il en est d'ailleurs de cette comédie comme de *Tartuffe* et de *George Dandin :* la situation est si forte, qu'elle risque de tourner au drame. Beaumarchais lui-même le faisait remarquer à son ami Gudin. Il se hâta d'en rire, de peur d'être obligé d'en pleurer; cela lui fut facile. Que l'on choisisse la plus ingénieuse comédie de Lope de Vega, *Aimer sans savoir qui,* par exemple, ou *Madame avant tout,* de Calderon, ce chef-d'œuvre "d'industrie", selon le mot cher à Corneille; qu'on y ajoute la gaieté de Regnard, le comique de *George Dandin,* le plaisant de Vadé, et l'on aura à peine, en imagination, l'équivalent de la scène de nuit qui termine *le Mariage de Figaro.* C'est le sublime de l'équivoque au théâtre, un jaillissement continu de verve, un feu d'artifice plus étincelant que celui qui, pendant ce temps-là, éclate et pétille là-bas sur la terrasse du château d'Aguas-Frescas" (Lintilhac, *Hist. gén. du théâtre,* IV, 425).

[N.B. After this book had gone to press an article by Jean Vic appeared in the *Revue du XVIIIe Siècle* (Mai-Décembre, 1916), in which the writer, discussing a play entitled *la Noce interrompue,* by Charles Rivière Dufresny, declares that "si *la Noce interrompue* n'est pas le *Mariage de Figaro,* il est incontestable qu'elle en est un premier modèle " (p. 139).]